284—

TE NEZNANKE

Biblioteka
IZABRANA DELA PATRIKA MODIJANA

Za izdavača
Bora Babić, direktorka

I

Te godine jesen je stigla ranije nego obično, sa kišom, uvelim lišćem i maglom na obalama Sone. Živela sam još uvek sa svojim roditeljima u dnu Furvijerske padine. Bilo je mi neophodno da nađem neki posao. U januaru me je Zadruga veštačke i prirodne svile na trgu Kroa Pake primila na šest meseci kao daktilografkinju, tako da sam ostavila na stranu čitavu zaradu. Otputovala sam na odmor u Toremolinos, na jug Španije. Bilo mi je osamnaest godina i prvi put u životu napuštala sam Francusku.

Na plaži u Toremolinosu upoznala sam jednu Francuskinju, koja se zvala Mirej Maksimov i već godinama živela tamo sa svojim mužem. Crnka, veoma lepa. Ona i njen muž držali su mali hotel u kojem sam uzela sobu. Rekla mi je da će na jesen duže boraviti u Parizu i da će se smestiti kod prijatelja čiju mi je adresu dala. Obećala sam joj da ću, ako mi se ukaže prilika, doći u Pariz da se vidim sa njom.

Po povratku, Lion mi se učinio užasno mračan. U blizini moje kuće, sa desne strane, na uzbrdici San Bartelemi, nalazio se Internat lazarista. Njegova zdanja bila su podignuta na bočnoj strani brežuljka, a turobne fasade nadnosile su se nad ulicu. Glavni ulaz nalazio se u udubljenju zidine. Za mene se Lion toga septembra bio sav pretvorio u ogroman zid lazarista. U crni zid na koji su se pokatkad spuštali zraci jesenjeg sunca. Takvim danima, internat se činio napušten. Ali kada je padala kiša, pretvarao se u zatvorski zid i osećala sam se kao da mi zatvara prolaz ka budućnosti.

Od jedne mušterije u radnji svojih roditelja saznala sam da neka modna kuća traži manekene. Po njenom mišljenju, to se plaćalo osam stotina franaka mesečno, dve stotine više nego u Zadruzi veštačke i prirodne svile. Dala mi je adresu i ja sam odlučila da odem. Jedna žena zapovedničkog glasa rekla mi je preko telefona da mogu doći bilo koje veče tokom sledeće sedmice u ulicu Grole broj 4.

Danima nakon toga trudila sam se da sebe nekako ubedim kako je manekenski posao kao stvoren za mene, iako nikada nisam ni sanjala o tome. Tako će mi se možda ukazati prilika da iz Liona odem u Pariz. Ali, kako se čas odlaska približavao, postajala sam sve zabrinutija. O mom životu se odlučivalo sa ulogom na sve ili ništa. Ako ne budem primljena, nikad mi se više neće ukazati slična mogućnost, mislila sam.

Imam li uslova za taj poziv? Kako da se odenem da bih položila ispit? Nisam imala izbora. Moja jedina pristojna odeća sastojala se od jedne sive suknje i bele bluze. Kupila sam i tamnoplave cipele sa niskom potpeticom.

Prethodno veče, u svojoj sobi, obukla sam belu bluzu, sivu suknju i plave cipele, te stajala nepomično pred ogledalom ne bih li se uverila da stvarno vidim sebe. To me je nateralo na smeh, koji se odmah sledio pri pomisli da se narednog dana odlučuje o mom životu.

Bojala sam se da ne zakasnim na dogovor, pa sam pošla od kuće čitav sat ranije. Na trgu Belkur zatekla me je kiša, od koje sam se sklonila u predvorje hotela *Roajal*. Nisam želela da se pojavim u modnoj kući mokre kose. Zato sam se predstavila hotelskom portiru kao gošća i on mi je posudio kišobran. U ulici Grole broj 4, ostaviše me da čekam u jednoj velikoj prostoriji sa drvenarijom ofarbanom u sivo i francuskim prozorima prekrivenim svilenim zastorima iste boje. Niz stolica bio je prislonjen uza zid, sve su bile od bojenog drveta, visokih naslona u crvenom plišu. Nakon što je proteklo pola sata, pomislila sam da su zaboravili na mene.

Sela sam na jednu od stolica i slušala dobovanje kiše. Svetiljke su bacale mlečnu svetlost. Zapitah se koliko dugo treba da ostanem.

Najzad uđe jedan čovek, pedesetogodišnjak, smeđe kose začešljane unazad sa tankim brkovima i očima grabljivice. Nosio je tamnoplavo odelo i antilopsku obuću zagasite boje. U mojim snovima, ponekad, taj čovek naglo otvara ista vrata i ulazi još uvek onako tamnokos, iako je od tada proteklo skoro trideset godina.

Zamolivši me da ne ustajem, smestio se pokraj mene. Hladnim glasom upitao je koliko imam godina. Da li sam već radila kao maneken? Ne. Zatim je zatražio da izujem cipele, hodam do prozora i potom se vratim do njega. Hodajući tako, osećala sam se vrlo neprijatno. On je, nagnut na svojoj stolici, brade zagnjurene u dlanove, izgledao zabrinuto. Nakon tog hodanja napred-nazad, zaustavila sam se ispred njega. On je ćutao. Da bih delovala pribranije, nisam skidala oka sa svojih cipela, koje su se nalazile pokraj jedne slobodne stolice.

– Sedite – rekao mi je on.

Zauzela sam mesto do njega. Nisam znala smem li da obujem cipele.

– To je vaša prirodna boja? – upitao je pokazujući na moju kosu.

Odgovorila sam da jeste.

– Želeo bih da vas vidim iz profila.

Okrenula sam glavu prema prozoru.

– Imate prilično lep profil...

Izrekao je to kao da mi saopštava lošu vest.

– To je prilična retkost.

Delovao je ucveljen mišlju da na ovom svetu nema mnogo lepih profila. I nastavio da me posmatra netremice poput kakve ptičurine.

– To bi veoma lepo izgledalo na fotografijama, međutim, vi uopšte ne odgovarate onome što traži gospodin Pjer.

Sledila sam se. Imam li više ikakve šanse? Možda će se ipak posavetovati sa tim gospodinom Pjerom, koji je nesumnjivo njegov gazda. Šta on, zapravo, traži? Čvrsto sam odlučila da se povinujem svakom zahtevu gospodina Pjera.

– Veoma mi je žao... Ne možemo da vas primimo.

Presuda je pala. Nisam imala snage da progovorim ni reč. Suv i hladno učtiv ton toga čoveka jasno mi je stavio do znanja da ne zavređujem čak ni da upita gospodina Pjera za mišljenje.

Obula sam cipele i ustala. Rukovali smo se bez reči i on me je otpratio do vrata, koja je otvorio propuštajući me da izađem. Na ulici sam primetila da nemam kišobran, ali to više nije bilo važno. Prešla sam most. Šetala sam se po keju, pokraj Sone. A onda se nađoh nedaleko od kuće, na uzbrdici San Bartelemi, pred samim zidom lazarista, kao toliko puta u snovima u godinama koje će uslediti. Bila sam se pretopila u taj zid. On me je obavijao svojom senkom, bojio me svojom nijansom. I niko nikad neće uspeti da me iščupa iz njegove senke. Nasuprot tome, salon u ulici Grole, u kome su me ostavili da čekam, sav se kupao u bleštavoj svetlosti lampi. A čovek u tamnoplavom odelu i antilopskim cipelama nije nikako uspevao da pronađe izlaz iz prostorije, idući stalno unazad kao u nekom starom filmu koji se prikazuje od kraja.

Uvek isti san. Nakon nekoliko godina zid lazarista nije više bio taman, čak bi, ponekim predvečerjima, na njega pao i neki zračak sunca na zalasku. Luster u salonu iz ulice Grole odavao je sve blažu i blažu svetlost. Čak je i tamno odelo čoveka sa očima grabljivice postalo bledo i nekako isprano. Lice se činilo toliko svetlo da je koža gotovo počinjala da se providi. Samo je kosa neprekidno ostajala crna. Glas se brisao, to više nije govorio on već gramofonska ploča koja se bez prestanka vrtela. Uvek iste reči, bez kraja i konca: „Da li je to vaša prirodna boja... okrenite mi profil... ne odgovarate onome što traži gospodin Pjer", behu potpuno izgubile smisao. Svakoga jutra, budeći se, čudila sam se kako je taj bezvredni događaj, sada sve dalji, mogao da prouzrokuje takvo razočaranje i učini me toliko nesrećnom. One večeri kada sam prelazila preko mosta bila sam čak došla na pomisao da se bacim u Sonu. Zbog jedne takve sitnice.

Nisam imala hrabrosti da se vratim kući i ponovo vidim roditelje i orman sa ogledalom. Pošla sam stepeništem prema starom gradu kao begunac. I ponovo sam se obrela na keju, na obali Sone. Ušla sam u jedan kafe. Bez prestanka sam nosila sa sobom komadić papira na kome je Mirej Maksimov bila zapisala adresu i broj telefona svojih prijatelja iz Pariza. Zvonilo je dugo bez odgovora kad se najednom začu ženski glas. Zanemela sam. A onda ipak uspela da procedim: „Da li bih mogla da razgovaram sa Mirej Maksimov?" toliko slabim glasom da je jedva mogao dopreti do njih tamo, u Parizu. Bila je nakratko izašla, ali će se ubrzo vratiti.

Sutradan sam pošla noćnim vozom sa stanice Peraš. Kupe je bio zaronjen u pomrčinu. Sasvim u dnu, senke su počivale na sedištima. Sela sam bliže hodniku. Voz je toliko stajao u stanici da se upitah hoće li mi biti dopušteno da odem. Bilo je kao da bežim. Kad se vagon pokrenuo i kad sam ugledala Sonu koja nestaje, kao da sam se oslobodila tereta. Ne znam da li sam uopšte i spavala te noći ili samo dremala dok je voz, bez nekog posebnog razloga, stajao na napuštenom koloseku u Dižonu. Pod plavkastom svetlošću noćne lampe razmišljala sam o Mirej Maksimov. Nije bilo nijednog oblačnog dana tamo, na plaži Toremolinosa. Ispričala mi je kako je u mojim godinama živela u jednom gradiću u Landu, čije sam ime zaboravila. Uoči svog maturskog ispita, pošla je na počinak vrlo kasno, a budilnik nije zazvonio. Spavala je do podne umesto da polaže maturu. Nešto kasnije, upoznala je Edija Maksimova, svoga muža. Bio je to visok, lep čovek, poreklom Rus, koga su zvali Konzul i čija je navika bila da pije koka-kolu sa rumom. U vreme aperitiva želeo je da i mene time posluži, ali ja sam mu uporno ponavljala da više volim koka-kolu samu. Govorio je francuski jezik bez i najmanjeg stranog naglaska. Živeo je nekada u Parizu, međutim, zaboravila sam da upitam Mirej Maksimov koji ih je slučaj doveo u Španiju.

Stigla sam rano ujutru. Na lionskoj stanici je još bilo mračno. Uostalom, tih prvih dana u Parizu činilo mi se kao da je stalno noć. Imala sam samo jednu putnu torbu, neobično laku. Toga jutra kada sam doputovala, sedela sam sa Mirej Maksimov u jednom kafeu na trgu Trokadero. U staničnom bifeu sačekala sam do deset sati pre nego što sam joj telefonirala. Nije odmah razumela odakle je zovem. Stigla sam prva u kafe. Bojala sam se da će biti uzdržana kada joj saopštim da nemam gde da odsednem. Ali ona se okrenula prema meni nasmejana kao da je tek stigla na plažu da mi se pridruži. Reklo bi se da smo se juče rastale. Izgledala je srećna što me ponovo vidi i postavljala mi mnogo pitanja. Pričala sam joj o svemu, o svom odlasku u modnu kuću i o neljubaznom glasu čoveka sa očima grabljivice, koji sam još prošle noći, kod Dižona, čula u polusnu: „To je vaša prirodna boja kose? Okrenite mi profil...”

I tu, pred njom, obliše me suze. Ona mi spusti ruku na rame i reče kako su to sve gluposti. Baš kao i njen maturski ispit, koji nije položila zato što budilnik nije zazvonio tog jutra. Bila je vrlo raspoložena da me primi u stan svojih prijatelja.

Padala je kiša kao u Lionu, ali mi se i ona učinila nekako lagana. Kuća se nalazila na kraju ulice Vinez. Prvih dana, nosila sam sa sobom papirić sa adresom i brojem telefona u slučaju da se izgubim u Parizu. Stan je imao bele zidove. U dnevnoj sobi gotovo da nije bilo nameštaja. Otvorila mi je vrata jedne sobice čiji su zidovi bili prekriveni redovima knjiga. Na suprotnom zidu, uzan ležaj od sivog somota. Nije bilo ormana sa ogledalom. Prozor je gledao na dvorište. Htela je da mi potraži čaršave, ali sam joj odgovorila da mi nisu odmah potrebni. Navukla je zastore. Spustila sam putnu torbu pored kreveta, ne otvorivši je. Ubrzo sam zaspala. Slušala sam dobovanje kiše u dvorištu i to me je uljuljkivalo. S vremena na vreme sam se budila i opet blago tonula u san. Ponovo sam se pela uzbrdicom San Bartelemi i čudila se kako je zdesna nestala ona zidina lazaritskog internata. Ostala je samo ogromna rupa koja je izlazila pravo na Trokadero. Padala je kiša, ali je nebo bilo svetlo, bledoplavo. Narednih dana, Mirej Maksimov me je vodila sa sobom po Parizu. Prelazile smo Senu i odlazile na Sen Žermen de Pre. Ona se sastajala sa prijateljima u *Oblaku*, kod *La Malen*. Sedela sam sa njima, ali se nisam usuđivala ni usta da otvorim. Slušala sam ih. Ponekad, vraćala se tek oko sedam sati naveče, a ja sam ostajala potpuno sama čitavo po podne. Prošetala bih se do Bulonjske šume. Ponekad je bilo malo sunca. Ali sitna kiša bi se spustila pre nego što i primetim da pada. I ponovo bi sunce obasjalo riđe lišće na stablima Pre Katelana, a staze zamirisale na vlažnu zemlju. Dok sam se vraćala, spuštala se noć. Neka neodređena zabrinutost me je obuzimala na pomisao o budućnosti. Izgledala mi je potpuno neprobojna kao da sam još uvek pred zidom lazarista. Terala sam od sebe crne misli. U ovom gradu, mogu da sretnem ljude. Dužinom široke ulice koja je vodila od Bulonjske šume do Trokadera moj pogled se podizao prema osvetljenim prozorima. I svaki od njih mi je delovao kao obećanje, kao znak da je sve moguće. Uprkos uvelom lišću i kiši, osećao sam elektricitet u vazduhu. Čudna neka jesen. Zatvorena u sebe i zauvek istrgnuta od ostalog dela moga života. Ovde gde sam sada, nema više jeseni. Sunce svakoga dana, do kraja moga života. U retkim prilikama kada sam ponovo svraćala u Pariz, tokom narednih godina, jedva da sam mogla i poverovati da je to grad u kome sam provela onu jesen. Tada je bilo sve snažnije, sve toliko tajanstvenije – ulice, lica, svetlosti, kao da sam prosanjala ili popila nešto opojno. Ili sam, naprosto, bila suviše mlada, a strujni napon previsok za mene. Kad sam dolazila te večeri u ulicu Vinez, srela sam na stepeništu zgrade jednog smeđeg čoveka u kišnom mantilu. Njega sam viđala u društvu ljudi sa kojima smo se okupljale na bulevaru Sen Žermen de Pre. Prepoznao me je i nasmešio se. Mora biti da je dopratio Mirej Maksimov do stana. Pozvonila sam. Ona mi je otvorila posle dužeg čekanja. Na sebi je imala samo ogrtač od crvenog frotira, a kosa joj je bila raščupana. U salonu je vladao mrak. Rekla mi je da se uspavala. Nisam se usudila da joj kažem da sam na stepeništu srela onog muškarca. Sa nekim izrazom umora u očima, ona me zagrli i poljubi. Zapitala me je šta sam radila čitavo po podne i čudila se što se potpuno sama šetam Bulonjskom šumom.

– Treba da nađeš dragog – reče mi ona.
– Znaš, nema ničeg boljeg od ljubavi.

Složila sam se sa njom, ali se nisam usudila da joj kažem kako bi prvo trebalo da nađem neki posao. Nisam više želela da se vratim u Lion. Sele smo obe na divan u salonu, nije upalila osvetljenje. Svetlosti zgrade preko puta ostavljale su nas u polumraku. Obavila mi je ruku oko ramena i pojas njenog penjoara se razvezao. Zamirisala je na težak parfem, možda cvet tuberoze. Osetila sam potrebu da joj se poverim, ali sam ćutala. Niko nije znao da smo ovde. Stanovale smo na prevaru. Ona je ušla u stan obivši bravu. Uplašila sam se. Nije trebalo da napuštam Lion. Neprijatno sam se osećala u toj praznoj dnevnoj sobi. Stan je bio odavno napušten i iz njega su provalnici odneli pokućstvo. Zapitala me je zbog čega izgledam toliko zabrinuto. Trebalo je pronaći reči da joj to nekako objasnim. Vrlo je ljubazno od nje što me je pozvala da dođem, ali ja se ovde, ipak, osećam kao uljez. Već sam dospela u tešku situaciju nepromišljeno napustivši Lion, pa nisam želela da još i njoj budem na teretu. Hoće li obavestiti vlasnike stana da je i mene primila ovde? Da li ih uopšte poznaje? I da budem iskrena, često se pitam imamo li nas dve uopšte prava da tu ostanemo, pošto se vlasnici mogu iznenada vratiti i izbaciti nas. Ona se slatko nasmejala. Tim svojim nežnim glasom, svojim spokojem i neusiljenošću, na kojima sam joj zavidela, razvejala je moju uznemirenost. Vlasnica stana je njena stara prijateljica. Pomalo luckasta osoba udata za jednog bogatog trgovca krznom. I ako baš želim sve da znam, i ona sama, Mirej Maksimov, obrela se tako jednoga dana u Parizu. Vozom iz Bordoa. U ono vreme, i ona je bila potpuno sama i ne mnogo starija od mene. Najpre je stanovala u sobici nekog hotela u Latinskom kvartu, a sa tom ženom se upoznala kada se javila na oglas za mesto prodavačice u krznarskoj radnji njenoga muža. Ta žena ju je upoznala sa svim onim ljudima sa Sen Žermen de Prea i sa njenim budućim mužem Edijem Maksimovim. Ona ih je odvozila u svojoj američkoj limuzini na vikende u Monfor Amori i Dovil. To je bilo uživanje. Nema razloga za zabrinutost.

Prijateljica joj je sa zadovoljstvom ustupila stan. A onda sam skupila hrabrosti da joj kažem kako sam ipak pomalo uplašena za svoju budućnost. Šta će biti sa mnom u Parizu ako ne nađem neki posao? Posmatrala me je jedan časak u tišini.

– I ja sama – reče mi ona – bila sam uplašena kada sam se našla u Parizu. Ali za sve se nađe neko rešenje. Ne možeš ni da zamisliš koliko si srećna što imaš toliko vremena pred sobom. Uostalom, ja ću ti pomoći. Poznajem ljude u ovom gradu. A uvek možeš da pođeš sa mnom u Španiju.

Umirila me je. Osećala sam da mi želi dobro. Treba samo da joj poklonim poverenje i život će postati lepši. Jedne večeri, otišle smo u pozorište da u jednoj predstavi gledamo devojku koja se zvala Paskal. Radnja se odvija u današnje vreme, u nekom dvorcu u zamišljenoj zemlji, gde se nekolicina elegantnih prilika našla zatečena snežnom olujom. Svi su nosili odeću od crnog somota sa velikim belim okovratnicima. Žene su ličile na paževe, a muškarci na cirkuske jahače. S vremena na vreme, muzika sa čembala. Velika odaja bila je osvetljena svećnjacima, bilo je starinskog nameštaja s nekim telefonom i paučine, a pri svetlosti sveća ljudi su pušili cigarete i pili viski obraćajući se jedni drugima na veoma otmen način. Kada smo izašle iz pozorišta, padala je kiša. Mirej Maksimov i ja smo ušle u kola jednog od njenih prijatelja. U kafani je trebalo da se nađemo sa njihovim društvom, a pomenuta Paskal je došla da nam se pridruži znatno kasnije. Bila je u pratnji jednog veoma visokog muškarca četrdesetih godina, svetle kose ošišane na četku. On je bio filmski reditelj koji je imao veoma strogo lice, gotovo mrtvačku glavu. Želeo je da Paskal igra u nekom filmu o kome su svi razgovarali za vreme večere. Reditelj je objašnjavao o čemu je reč, ja nisam bogzna šta razumela, upotrebljavao je previše učene reči. To je bila priča o nekoliko parova koji se sastaju u nekoj kući u Portugaliji, potom na skijanju, pa u nekom dvorcu u Burgonji, te pošto su sve žene lepe – govorio je reditelj – a svi muškarci inteligentni, malo-pomalo počinju da zamenjuju partnere, što izgleda, kako se on izrazio, „poput geometrijskih figura u prostoru". Sedela sam do Mirej Maksimov, koja je takođe delovala kao da uopšte ne razume o čemu govori reditelj, međutim, svi su ga bez razlike slušali sa mnogo uvažavanja. Nakon toga predložiše da pođemo negde na piće, ali su to uvek bila ista mesta – *Oblak* i *La Malen*. Ponovo smo ušli u kola. Niko nije više ništa govorio. Radovala sam se tišini.

Automobil se kretao duž kejova na kiši. Semafori i svetiljke su me umirivali. Volela sam noć u Parizu, stišavala je onaj nemir koji sam često osećala u popodnevnim satima. Volela bih da su mi dopustili da se prošetam sama po keju, na čistom vazduhu...

– Nećeš valjda ostati da se ubijaš od dosade u stanu? – govorila je Mirej Maksimov.

Gotovo svake večeri vodila me je na sastanak sa tim ljudima. Sedeli smo sa njima do kasno, sa mukom sam držala otvorene oči. Žagor ljudi. Kafane čudnog izgleda. Zasvođeni podrumi u kojima se večeralo uz sveće. Na drugim mestima jelo se pečeno meso koje su okretali na ražnju ispred ogromnog ognjišta. Svećnjaci. Biljurna ogledala. Ukrasne grede. Onih toplih noći, noći miholjskog leta, kako su ih zvali, za stolovima na trotoaru. Sedeli smo stisnuti jedni uz druge. Iste ulice – Bernar Palise, Sen Benoa – čija je imena Mirej Maksimov davala taksistima. Odlazila sam sa njom i u kuće njenih prijatelja. Nedeljom naveče išle smo u jedan atelje nedaleko od parka Monsuri. Spremana su brazilska jela. Uvek jedno desetak ljudi. Brazilska muzika je svirala, prateći razgovor. Ja se nisam usuđivala da govorim. Ostajala sam po strani. Često sam napuštala večernju zabavu da bih se malo prošetala po kraju. Polazila sam ne privukavši ničiju pažnju. Bilo mi je prijatno da slobodno udišem vazduh i šetam se sama noću. Napustila sam Lion, ostavivši za sobom ljude koji su govorili preglasno, nepoznate ljude – moj život ima izgleda da postane neprekidno bežanje. Pa ipak, bila sam uverena da će se moja i putanja neke osobe slične meni ukrstiti na drugom kraju Pariza. Jedne nedelje uveče nisam se vratila u atelje kod parka Monsuri. Ispred zgrade odjekivala je i dalje brazilska muzika i čuo se žamor. Otpešačila sam do stana u ulici Vinez prešavši gotovo čitav Pariz. Nisam se više ničega plašila, a najmanje budućnosti. Bulevari i široke ulice preda mnom bili su pusti, svetla bleštavija nego obično. Vetar je šumeo u lišću. Pa ipak, nisam ništa pila. Kada sam ušla u stan, Mirej Maksimov je već bila tamo, zabrinuta. Zapitala me je zbog čega sam otišla bez reči iz stana njenih prijatelja. Odgovorila sam joj da se nisam osećala baš najbolje i da sam morala da se prošetam. A i svi ti ljudi ulivali su mi strah. Bili su stariji i pametniji od mene. Moje mesto nije među njima. Zapravo, gde je ono? Nisam još uspela da otkrijem. Ona me pomilova po čelu baš kao što bi to učinila starija sestra, ali ništa od onoga što sam joj poverila nije uzela za ozbiljno. Na kraju mi reče:

– Biće da ti imaš neke bubice u glavi.

Jedne nedelje, povela me je na ručak u neki kineski restoran u blizini Jelisejskih polja. Čim smo stigle, prepoznala sam muškarca u kišnom mantilu koga sam susrela one večeri na stepeništu. Čekao nas je. Bio je u društvu jednog čoveka tamne kose, malo višeg od njega, odevenog u kožnu jaknu i crni džemper sa rol-kragnom. Mirej Maksimov se poljubila sa onim kojeg sam poznavala. Pokušavam da se setim kako se zvao. Valter i još neko italijansko ime. Čovek koji je bio sa njim pružio nam je ruku i predstavio se kao Gi Vensan. Kasnije, kada sam saznala da to nije njegovo pravo ime, svaki put sam bila iznenađena sa koliko je drskosti prilazio ljudima i odsečnim glasom, pružajući im ruku, govorio: Gi Vensan. Sada razumem da je to ime bilo za njega neka vrsta odbrane, ograda koju je hteo odmah da podigne između sebe i drugih. Ipak mi se čini da one nedelje kada sam ga prvi put videla i kada mi je pružio ruku nije na isti način izgovorio svoje lažno ime. Mislim da ga je izrekao sa ironičnim osmehom kao da smo već delili neku tajnu.

Gi Vensan je sedeo pored mene na klupici. Nastupilo je ćutanje. Potom, Valter se nagnu prema Mirej Maksimov:

– To je Gi... o njemu sam ti pričao...

Ona se nasmešila i odgovorila da se raduje što ga je upoznala. Ja sam, kao i obično, bila uplašena. Nisam progovarala ni reč.

Na osnovu onoga što mi se činilo da razumem, čovek koji je sedeo naspram mene – Valter, prijatelj Mirej Maksimov, bio je već dugo fotograf i često su ga slali na opasna mesta. Bio je čak i ranjen u toku rata, ne sećam se više kojeg. Upoznao se sa Gijem Vensanom u nekom kafeu na Jelisejskim poljima, u koji je često imao običaj da navraća kao i ostali fotografi.

Kada smo počeli sa ručkom, Gi Vensan je takođe ćutao. Mirej Maksimov je pokušala da stvori opuštenu atmosferu postavljajući mu beznačajna pitanja, ali je on na njih odgovarao sa da ili ne. Valter pokaza prstom na mene.

– A ova devojka?

Gi Vensan se okrenuo i radoznalo me pogledao.

– Njoj se dogodila čudna neprilika – odgovori Mirej Maksimov, gotovo neprimetno mi namignuvši.

Ona reče da sam došla iz Liona. I ispriča im priču o maturskom ispitu, svoju priču, koja se odigrala odavno negde u Landu. Budilnik nije zazvonio jednoga ponedeljka u sedam sati ujutru. U suštini, to je bilo lepo od nje. Verovatno je mislila da smo postale toliko bliske da su životi mogli da nam se izmešaju.

Valter prasnu u smeh.

– Imali ste sreće – odgovori mi on. – Sudbina nije želela da položite maturu.

Pomalo sam se postidela. Mirej Maksimov me uhvati za ruku.

– Nadam se da vam neće pasti na pamet da je ipak polažete – reče na to Valter. – To je samo gubljenje vremena.

Gi Vensan je i dalje ćutao, a u njegovom pogledu se nije više ogledala samo radoznalost već i neka zabrinutost, kao da se trudio da pogodi o čemu razmišljam.

– Ta priča vas je baš pogodila, zar ne? – upitao me je tonom nekoga ko se zainteresovao.

Pokušala sam da mu se nasmešim.

– Ne slažem se s vama – reče on okrenuvši se prema njima. – To u vezi s maturom ipak nije lako za nju.

Valter ga upita da li je on maturirao. Gi Vensan je odgovorio da nije. Ali da se pokajao. Objasnio nam je da se pred njegovu maturu rat tek završio, a on upravo vratio iz Švajcarske sa grupom izbeglica, svojih vršnjaka. Ostali su dugo potom u nekoj vrsti internata u Lionu, ali nije učio školu. Veći deo vremena davali su im da obavljaju fizičke poslove.

Uspela sam da pobedim svoju stidljivost. Upitala sam ga:

– Koliko dugo ste boravili u Lionu?

– Ne predugo. Šest meseci otprilike.

Ali nisam se usudila, tog prvog dana, da ga zapitam na koji internat tačno misli i gde se nalazio u Lionu. Ja sam ga, očigledno, zamislila iza crnog zida lazarista.

Kada smo izašli iz restorana, Mirej Maksimov mi reče da se neće odmah vratiti. Valter me poljubi u oba obraza. Bio je srećan što me je bolje upoznao, iako nisam uspela da položim maturu. Kad su ušli u kola, Mirej Maksimov je spustila staklo na prozoru i mahnula mi rukom u znak pozdrava.

Ostala sam sama sa Gijem Vensanom. On me zapita da li stanujem u kraju. Odgovorila sam mu da živim blizu Trokadera, međutim, slabo poznajem Pariz i još uvek ne mogu dobro da ocenim razdaljine.

– Prošetaću se malo s vama. Ako se umorite, uzećemo metro kod Trijumfalne kapije.

Imala sam osećaj kao da se upravo dogodio susret kakav sam priželjkivala od dolaska u Pariz. Rečenica koju mi je izrekao u tom trenutku ostala mi je tako dobro u sećanju da mi se čini da čujem, i posle svih tih godina, zvuk njegovog glasa. Pre neki dan, šetala sam se u blizini pristaništa, u ovoj zemlji gde nemam često prilike da govorim sa nekim na francuskom. I ponovo začuh nekoga kako kaže sa pariskim naglaskom: „Ako se umorite, uzećemo metro kod Trijumfalne kapije." Okrenula sam se. Naravno, nije bilo nikoga.

Te nedelje po podne, hodali smo u reci prolaznika, desnim trotoarom na Jelisejskim poljima. Bilo je sunčano. Bašte kafana prelivale su se na ulicu. Ponovo jedan lep dan miholjskog leta, kao što je govorilo društvo iz kafea *La Malen*. Koliko to još može da traje? Stigli smo do trga Etoal.

– Umorili ste se? – zapita me Gi Vensan.

Ne, nisam bila umorna.

– Ako želite – rekla sam mu – možemo da se prošetamo po Bulonjskoj šumi.

Od Kapije Dofin put vodi prema jezeru. Sada sam ja njega vodila.

– Izgleda da dobro poznajete šumu.

To je bilo tačno. Često sam se tuda šetala u popodnevnim satima. Nisam uspevala da ostanem sama u stanu u ulici Vinez. Bežala sam kao i onih večeri od prijatelja Mirej Maksimov. I svaki put osećala ono isto zadovoljstvo kao kad se izgubim, a da to niko ne primeti. Kad ih se otresem.

Seli smo na klupu na obali jezera. Zapitala sam ga da li se nekada prošeta ovuda. Ne. Već odavno nije. Bio je deset-petnaest godina stariji od mene. Imao je verovatno i neko zanimanje. Posmatrao me je kao maločas u restoranu, sa onim pažljivim izrazom lica, skoro brižno. Kao ni ja njega, nije znao šta bi me upitao. Onda zapita koliko imam godina. Htela sam da kažem koju godinu više, ali je bilo bolje ne lagati. Dodala sam ipak jednu godinu. Devetnaest. Izgledao je začuđen. Mislio je da imam preko dvadeset godina.

Pored nas su prolazile porodice sa decom koja su se uvek vukla za njima. Roditeljski glasovi, molbeni ili zapovednički, pozivali su ih po imenu i gubili se potom, malo-pomalo, u daljini. Neko je više puta doviknuo: „Gi", što me je podsetilo da se i on tako zove. Ali on nije ni trepnuo. Tada još nisam znala da to nije njegovo pravo ime.

– U stvari – obratila sam mu se nesigurnim glasom – tražim neki posao.

I vrlo brzo, tako brzo da su se reči skoro sudarale, otkrila sam mu jedan deo istinite priče: došla sam iz Liona i privremeno stanovala kod Mirej Maksimov, tražeći posao u Parizu.

– A vaši roditelji? Šta oni kažu na sve to?

Bilo mi je neprijatno zbog ovog pitanja. U času kada sam napuštala Lion, nisam se ni osvrnula na svoje roditelje. Nije to bila ravnodušnost, međutim, već duže vreme sam se udaljavala od njih. Ipak, nisu iščezli iz mojih maštanja o sutrašnjici, u kojoj će moj život krenuti sigurnijim putevima i kada će nestati ova neizvesnost sa kojom počinje svaki dan. Jednoga dana, opet će sve biti čisto i postojano u mom životu i tada ću biti srećna da ih ponovo nađem.

– Ne mogu mnogo da mi pomognu – odgovorila sam mu.

Produžili smo šetnju kroz drvorede u blizini Pre Katelana. Bilo je sve manje sveta i parkovske aleje su počele da liče na puteve kroz šumu. Tad mi reče kako treba da se vratimo jer bismo mogli da se izgubimo. Upitala sam ga čime se bavi. Ničim interesantnim, putuje poslom na relaciji Francuska–Švajcarska. U Parizu je sa svojim ortacima držao jednu vrstu administrativnog ureda. Za jedan od onih banalnih poslova kakvi kod ljudi odmah izazovu dosadu čim o tome počne da se govori. I tako, nisam navaljivala.

Predveče, nađosmo se u jednoj od čajdžinica u Bulonjskoj šumi. Za nekim stolovima su sedeli ljudi koji su maločas prolazili stazama pored jezera. Za drugim, starije žene su vrlo glasno razgovarale. Ispitivao je sve oko sebe. Zapitala sam se da li je, kao i ja, prvi put u životu na ovakvom mestu.

– Vrlo čudno – rekao mi je on. – Žene ovde nose astraganske bunde.

I stalno taj brižni, zamišljeni izgled. Kasnije, svaki put kad bismo se našli na nekom javnom mestu, imala sam utisak da se oseća neugodno, kao da nema ničeg zajedničkog sa bilo kim. Poput stranca u nekoj zemlji čiji jezik ne govori, koji neprekidno strahuje da bi mu se neko mogao obratiti. Ali lice mu je ostajalo mirno. Držao se spokojno. Možda je mislio kako bi i najmanje oklevanje, najmanji nemir na njegovom licu, pretio da mu donese neku nepriliku. Tako je ostajao nepomičan, izbegavajući nagle pokrete. I smešio se odsutno.

– Izbrojao sam četrnaest žena u krznenim kaputima. Možete da proverite, ako želite...

Rađalo se neko saučesništvo među nama. Ni jedno ni drugo nismo imali svoje mesto u takvom okruženju. Da li je uopšte imao svoje mesto? Uzeli smo metro do trga Etoal. Potom smo promenili liniju i sišli na Trokaderu. Želeo je da me isprati do stana. Hodao je pokraj mene ujednačenim korakom, kojem je, kako mi se danas čini, bilo nemoguće poremetiti ritam. Bio je to njegov način da izbegne skretanje pažnje na sebe. Kada vas neko prati, na primer, ne treba se nikada okretati. A ako zapreti neka opasnost, uvek treba produžiti istim, mirnim korakom. Ispred zgrade u ulici Vinez, upitao me je kako mislim da provedem veče. Rekla sam mu da nemam planova. Tog istog dana, nažalost, nije mogao da me pozove na večeru zbog jedne obaveze. Ali sutra, prekosutra, bilo kog drugog dana... Stanovao je u hotelu. I tutnuo mi je u ruku neki telefonski broj.

Pozvala sam ga sutradan predveče. Bila sam sama u stanu. Objasnio mi je kako da dođem. Trebalo je da promenim metro na Etoalu i siđem na stanici Žorž Peti. Potom je zatražio da uzmem olovku i govorio mi u pero kojim putem da stignem do njegovog hotela. Sudeći po tonu njegovog glasa, strepeo je da se ne izgubim.

Bilo je to veoma blizu kineskog restorana u kome smo bili prethodnog dana. Hotel *Beri*, Ulica Frederika Bastije. Službenici na recepciji rekla sam da tražim gospodina Vensana. Pored te tamnokose žene u strogom kostimu ću potom prolaziti svakoga dana, sa varljivim osećanjem da to traje već dugo, da postaje čitavo jedno razdoblje moga života. Ali kad bolje razmislim, nije trajalo više od mesec dana.

Popela sam se stepenicama na prvi sprat. Sačekao me je na vratima sobe, kao da se pobojao da ću se u poslednjem času predomisliti. Na časak sam zastala kod prvih stepenika, bila sam u iskušenju da pobegnem. Između dva prozora nalazila se neka fotelja, ali mi je izgledalo da joj ne mogu prići. On je ostao da stoji ispred mene.

– Kosa vam je mokra.

Moj kišni mantil bio je takođe promočen. Kada sam izašla iz metroa, spustila se sitna kiša, onakva kakva će često padati te jeseni. Vratio se sa jednim ubrusom. Nežno mi je protrljao kosu. Seo je na samu ivicu kreveta, pokraj mene.

– Treba da skinete mantil...

To je izgovorio prigušenim glasom, kao da govori sam sa sobom. Zamišljala sam kako smo zajedno došli u hotel i sklonili se u ovu sobu zbog kiše. Maštala sam kako sam istog jutra stigla u Pariz. I kako je on došao da me sačeka na lionskoj stanici. Svetlost lampe me je zasenjivala, čulo se šumorenje kiše. Nisam bila sigurna gde se stvarno nalazim. Nisam ništa znala o njemu, ali to nije bilo uopšte važno. On me je zagrlio, a ja sam ga poljubila. Sva moja zabrinutost i stidljivost su nestale, postalo mi je potpuno svejedno da li će ostaviti upaljeno svetlo, čak sam poželela neko življe i jače osvetljenje, koje će odagnati senke. Sutradan izjutra, kada sam se vratila u stan u ulici Vinez, Mirej Maksimov je već bila budna. Rekla mi je da je bila zabrinuta zbog moje odsutnosti, ali mi nije postavljala pitanja. Ispričala sam joj kako sam srela neke prijatelje iz Liona i kako je večernji izlazak potrajao duže nego što smo predvideli. Narednih sedmica, nastavila sam sa laganjem, čuvajući svoju tajnu do kraja. Ali danas se pitam šta je tu, zapravo, imalo da se kaže. To su svakodnevne stvari. Događaju se svakome. Sećam se večeri kada mi je poverio da se ne zove Gi Vensan. Odveo me je u neki restoran odmah pored hotela. Nikada se nije udaljavao iz svog kvarta. Čudio se kako sam mogla da dođem čak iz Liona. Neposredno posle rata, proveo je kratko vreme u tom gradu, ali ne bi mogao tačno da mi kaže gde se nalazio internat koji je prihvatio njega i drugove. Nedaleko od Sone. Neko strmo stepenište. Stare kuće. Da li se seća jedne ulice koja se penje uzbrdo, crnog zida i visokih, nakrivljenih kuća? Ne bi mogao da tvrdi, ali je vrlo moguće. Ako je tako, onda je to mogao biti jedino Internat lazarista. Zato što ja verujem u podudarnosti.

Kasnije je i on stigao u Pariz sa lionske stanice. Nekog jutra, u isto doba dana kada i ja. Bio je mojih godina. Započeo je da mi priča o svemu tome u hotelskoj sobi osvetljenoj lampom koju je ostavljao upaljenu čak i danju. Ja sam se najzad na to privikla i naivno verovala da ta oštra svetlost razvejava maglu što lebdi oko njega. Onoga jutra kada je doputovao, niko ga nije sačekao na stanici. Iz gradske četvrti u kojoj je proveo detinjstvo, nestalo je njegovih roditelja i prijatelja.

Sve ovo mi je ispričao zato što dolazim iz Liona, koji ga seća na jednu epizodu iz doba kada je imao godina koliko i ja sad. I zato što sam mu te noći prvi put rekla „Gi". Ali mada sam izgovorila to ime vrhom usana, nisam se osećala prijatno, nalazila sam da mu ne odgovara. On je, svakako osetivši moju suzdržanost, rekao: „Da, da... možeš da me zoveš Gi...", i prasnuo u smeh. Čula sam ga kako ponavlja: „Gi... Gi...", kao da se želeo privići na taj zvuk, a potom sam se i ja nasmejala. Nakon toga, rekao mi je kako je Gi Vensan izmišljeno ime. Zapitala sam ga da li bih mogla da ga zovem njegovim pravim imenom. To bi bilo lepo, ali on to ipak ne bi voleo, navikao se na ovo. Za njega Gi Vensan dočarava svežinu, proleće i belu boju, to je ime koje umiruje. A zatim, dopušta odstojanje. Između njega i ostalih postojao je uvek Gi Vensan, kao nekakav dvojnik, anđeo čuvar. I ponovo se nasmejao. I ja sam se nasmejala. Neobuzdan smeh je zarazan, međutim, da li sam zaista želela da se smejem? Pri svetlosti lampe, soba mi se najednom učinila hladna, prazna. Bila sam u društvu nepoznatog čoveka koji se skrivao pod tuđim identitetom. Opazila sam da nikada ništa nije ostavljao da se povlači po noćnom stočiću, fotelji ili tepihu. Nijedan deo odeće, opušak cigarete ili samo par čarapa. Kada smo napuštali sobu, nije se video više nikakav trag našeg prolaska, osim razmeštenog kreveta, mada sam ga u nekoliko navrata spazila kako na brzinu zateže čaršave i povlači prekrivač. Stara navika iz internata, govorio mi je on. Njegova odela, nešto knjiga, nekoliko predmeta i koferi bili su sakupljeni u jednoj velikoj prostoriji ureda. To je bilo mesto gde je radio sa svojim ortacima. Više puta sam ga dopratila do tamo, kasno uveče. Ured se nalazio blizu hotela, u jednoj zgradi u ulici Pontje. U to vreme je uvek bio prazan. Ja sam ga čekala u radnoj sobi. Ušao bi da pokupi nekoliko stvari, koje bi zatim slagao u putnu torbu. Potom smo se vraćali u hotel.

Jedan jedini put, predstavio se svojim pravim imenom. To je bilo prilikom našeg putovanja u Švajcarsku. U Lozani smo, ne znam zbog čega, sedeli u holu jednog hotela na aveniji Uši. Žene i muškarci oko nas odavali su utisak buržuja. Bili su to Francuzi sa nečim staromodnim u ponašanju i odevanju. Ali lepo su izgledali. Bili su pocrneli. Na prvi pogled, svi su se poznavali. Na jednom velikom stolu, gomila knjiga. Neki veoma suv čovek sa gustim obrvama i leptir-mašnom s vremena na vreme je potpisivao knjige onima koji bi mu prišli. U pogledima prisutnih, koji su piljili u nas, čitalo se iznenađenje i zaprepašćenost. Mora da su mislili kako ne pripadamo njihovom svetu i nisu mogli razumeti otkuda mi među njima. Pokušala sam da sebi predstavim kako im izgledamo. Koji čas ranije, u luci, u bašti jednog kafea zapazila sam plavokosu devojku koja je sedela pored muškarca sa licem probisveta. Kada sam bila mlađa, ličila sam na tu devojku. Širom otvorenih očiju, pažljiva i tiha. Čovek kog je slušala podsetio me je na Gija Vensana zbog crne kose i opuštenosti sa kojom je pušio i nalivao piće. Ali Gi – trebalo bi ipak da ga zovem tako – bio je mnogo krupniji. Pa ipak, hodao je neverovatno gipko, laganim koracima, kao na vrhovima prstiju. Toga dana u Lozani, u predvorju hotela, Gi je ustao i prošetao se tako između svih onih otmenih ljudi. Bio je izgubljen usred tog mondenskog skupa i ja se pobojah da u prolazu ne gurne nekog od njih. Bila sam uverena da je bio pijan. A onda je došao po mene.

Zagrlio me je i odvukao do stola za kojim je pisac sa leptir-mašnom potpisivao knjige. Uzeo je jednu od njih sa gomile. Zvala se *Živeti na Maderi*. Dugo sam čuvala tu knjigu, izgubila sam je kada sam napuštala Francusku. Pisac za stolom bio je okružen mnoštvom ljudi. Gi je prelistao knjigu. Sagao se.

– Možete li da mi se potpišete?

Čovek podiže glavu. Imao je neprijatno lice. Leptir-mašnu na tufne.

– Kako se zovete? – upitao je neljubazno.

I onda je Gi rekao svoje pravo ime. Čula sam ga prvi put: *Alberto Cimbalist*. Pisac je nabrao obrve, kao da mu se zvuk ovog imena ne dopada. I nastavio je prezrivim tonom:

– Možete li da mi diktirate slovo po slovo?

Gi spusti otvorenu knjigu na sto i rukom pritisnu njegovo rame. Pisac nije mogao više da se pomeri na svojoj stolici. Gi je pritiskao sve jače i jače njegovo rame, a ovaj ga je, uvijajući se, gledao zaprepašćeno. Svi oko nas posmatrali su ga zabrinuto. Bili su spremni da priskoče, ali su oklevali zbog Gijeve snage. Čovek na kraju odluči da se potpiše. Graške znoja izbijale su mu po čelu. Uplašio se. Gi uze knjigu, ali je rukom još uvek pritiskao piščevo rame. Ovaj je gledao u njega, strogog oka, stisnutih usana.

– Hoćete li me napokon pustiti, gospodine? – reče šištavim glasom.

Gi mu se ljubazno osmehnu i popusti pritisak. Čovek ustade. Da bi delovao pribranije, uzeo je da popravlja svoju leptir-mašnu na tufne. Gledao nas je netremice zmijskim pogledom. Uplašila sam se da će pozvati policiju. Nakon što je prostudirao naslov knjige, Gi ga upita sa osmehom:

– Kako je na Maderi?

Ne znam da li se to zbilo zato što je bio pijan ili zato što je bio na ivici očajanja, kao što mu se često događalo. Bili smo zajedno u hotelskom predvorju, kao prvog dana u Bulonjskoj šumi, među nedeljnim šetačima i ženama u krznenim kaputima. Ali saznala sam bar njegovo pravo ime. Da li je ono uopšte bilo pravo? Činjenica je da ga poznanici iz Pariza nisu nikada oslovljavali tim imenom. Do koje li ga je godine nosio? Nisam se usuđivala da pitam.

Jednog popodneva, odvezao me je kolima do ulice Vinez zato što sam želela da umirim zabrinutu Mirej Maksimov, koja već tri dana nije imala vesti o meni. Kazao mi je:

– Pokazaću ti gde sam stanovao kada sam bio klinac.

Rekao je „klinac" sa pariskim naglaskom.

– To je vrlo blizu, nedaleko od Bulonjske šume.

Zaustavio je kola na ulazu u park Ranlag, međutim, način na koji je naglasio reč „klinac" nije odgovarao tom kraju grada.

Krenuli smo stazama parka. Sunce je bilo u izmaglici i park se kupao u nekoj riđoj svetlosti. Gazili smo po sloju opalog lišća.

– Vidiš, u ovom parku sam se igrao svakog četvrtka i nedelje...

Dobro sam pazila da mu ne postavljam pitanja. Bila sam vrlo mlada, slabo sam poznavala muškarce, ali sam vrlo brzo shvatila da nije bio od onih koji bi odgovarali na pitanja.

Nalazili smo se na ulici, na drugom kraju parka. Nakon samo nekoliko koraka trotoarom, on se zaustavi pred jednom kućom, prvom u toj ulici.

– Stanovao sam tu, na drugom spratu.

Pokazao mi je prstom jedan prozor.

– A ovde je bila moja soba.

Otvorio je kolsku kapiju i povukao me prema hodniku. Pokucao je na nastojnikova staklena vrata. Ona se otvoriše i jedan ćelavi čovek provuče glavu kroz otvor na njima.

On mu kaza:

– Došao sam da se raspitam o gospodinu Karpantjeu.

Zapamtila sam to ime igrom slučaja. Karpantje. Čovek mu reče da gospodin Karpantje ne stanuje tu već odavno, još od vremena kada je njemu ustupio nastojnički stan. Gi sleže ramenima.

– A da nemate možda njegovu adresu? – zapitao je.

– Nemam.

I ponovo smo hodali širokom ulicom koja oivičava park Ranlag. Ispričao mi je da je gospodin Karpantje nekadašnji nastojnik kuće, a da je on, u to doba, živeo sa ocem u jednom povećem stanu. Otac mu je bio peruanski konzul. Potom je izbio rat te se otac vratio u svoju zemlju ostavivši ga samog, tu, pod nadzorom gospodina Karpantjea. Po svemu sudeći, otac je zaboravio na njega jer mu se više nikada nije javio. Da li mi je rekao istinu? To po podne, zamolila sam ga da me ostavi na trgu Trokadero. Nisam želela da nas Mirej Maksimov vidi zajedno. Peruanski konzul. Edija, muža Mirej Maksimov, takođe su zvali Konzul. To izmišljeno zvanje bilo je nadimak junaka jednog romana na koga je podsećao i koji je, kao i on, mnogo pio. Godinama posle toga, događalo mi se da se naglo, usred noći, prenem iz sna i ostanem budna do jutra. A tada, okrećem i prevrćem po glavi sve te bolne pojedinosti. I pomislim: trebalo bi jednoga dana proveriti sve što ti je ispričao. A zatim bolje razmislim i umirim se. Bilo je to nepotrebno. Bilo je prekasno.

Peruanski konzul. Vetar je raznosio suvo lišće parkovskim stazama sa šumom koji se pojačavao i ledio mi srce. Nisam se ljutila što me je lagao. Na kraju krajeva, laži su činile deo njegove ličnosti. Utoliko gore po njega ako su samo skrivale prazninu. Ta praznina me je takođe privlačila kod njega. Često je imao odsutan pogled. Volela bih da sam saznala o čemu je razmišljao. Pokušavala sam da odgonetnem. Nalazila sam da je tajanstven, nedokučiv. Niste ga mogli čuti da dolazi kada otvori vrata i uđe u sobu. A mogao je u svakom času da se izgubi dok hodate pokraj njega. Meni to nikada nije učinio, ali jeste svima onima koje sam viđala sa njim po kafeima u blizini hotela ili u prostorijama ureda. To je čak postalo i predmet šala među njima. Događa mi se da ne mogu da se setim svega, ali sam zapamtila ono putovanje u Švajcarsku, kada smo sreli čudne ljude u Ženevi i holu hotela na Roni. Pre nego što smo stigli na granicu, prošli smo kolima kroz Anemas. Bila je nedelja. Noć se spuštala. Ulice Anemasa bile su zatvorene zbog povorke sa fanfarama koja se kretala gradom. Uhvatio nas je nezadrživ smeh kada je truba zasvirala melodiju *Dodji Pupule*. Muzika je počela da se udaljuje i na kraju se sasvim izgubila, te ubrzo nije više bilo nikoga na ulicama. Na graničnom prelazu, carinici nam nisu čak ni zatražili pasoše. On mi je tada ispričao da je za vreme rata, u svojoj šesnaestoj godini, pokušao u dva navrata da uđe u Švajcarsku. Već pri prvom pokušaju uspeo je da krišom pređe granicu, ali su ga švajcarski carinici uhapsili i predali francuskim žandarmima. Kako je već onda imao sadašnju visinu i težinu, smatrali su da je bolje da ga s lisicama na rukama vrate u Anemas. To nije mogao nikada da zaboravi i od tada, u snovima, hoda satima sa lisicama na rukama i beskonačno se vozi metroom u potrazi za nekim ko ima ključ od njih. Kasnije, u Anemasu, jedan od žandarma pustio ga je da pobegne. Onda je pokušao i drugi put da pređe granicu i uspeo. U Ženevi je dugo bezuspešno tražio peruanski konzulat.

Smestili smo se u hotel na Roni, u čijem je predvorju imao sastanke u popodnevnim časovima. To je često trajalo sve do večere. Strahovao je da ne počnem da se dosađujem. Zahvatio bi svežanj novčanica iz putne torbe i gurnuo mi ga u ruku. Nagovarao me je da obilazim prodavnice i kupujem sebi cipele, satove, nakit. Ali iako sam ja odbijala i objašnjavala da mogu lepo ostati u sobi da čitam, nije pomagalo. On je u mojim godinama, prvi put u Ženevi, bio zasenjen izlozima i svetlima. Privlačilo ga je sve, a naročito obuća. Bilo je ogromno zadovoljstvo hodati u novim cipelama koje ne propuštaju vodu. Zato treba da iskoristim priliku. Život je kratak. Na kraju bi uspevao da me ubedi. Izlazila sam iz hotela, prelazila most i išla pravo Ronskom ulicom. Ali nisam se usuđivala da uđem u prodavnice. Prvoga dana bilo je maglovito i bojala sam se da ne počne sneg. Hodala sam obalom reke. Imala sam utisak da sam potpuno sama u nepoznatom gradu. I on je morao biti isto tako usamljen kada je prvi put stigao ovamo. U dnu jedne široke avenije ugledala sam železničku stanicu. Možda bi bilo najbolje sesti u voz za Pariz i naći se ponovo pokraj Mirej Maksimov. Sve joj objasniti. Kakav bi savet ona mogla da mi dâ? Skrenula sam u neku uličicu gde sam naletela na jedan bioskop. U to doba dana nije bilo nikoga u sali. Davao se crtani film.

Naredni dani su ponovo bili sunčani. Pravo miholjsko leto – kako kažu Parižani. Kupila sam, ipak, jedan sat. I osim toga, jedan par cipela. Bilo mi je dosadilo da nosim marinsko plave, one iste koje sam izula pred gadom iz modne kuće.

Zatražila sam mu dopuštenje da ostanem u holu, na odstojanju, dok se on sastaje sa ljudima. Posmatrala sam ga neupadljivo. Pitala sam se ko bi mogli biti ljudi koji su sedeli oko njega. Uvek isti. Većinom Alžirci. Nosili su kožne torbe, svi osim jednog, kog sam zapazila po osmehu i tamnoplavom kišnom mantilu. Pred kraj tih sastanaka, ponekad je dolazio po mene na drugi kraj hola i pozivao me da sednem sa njima.

Verujem da su šapatom vodili razgovore o novcu. Bili su veoma učtivi prema meni. Volela bih da sam mogla saznati nešto više o tome, ali nikada se nisam mešala u ono što me se ne tiče. Kad padne mrak, odlazili smo na večeru u jedan italijanski restoran u društvu dvojice muškaraca koji su radili sa njim u Parizu. Prvi, debeljko njegovih godina, uvek zadihan, radio je u uredu. Drugi je imao pedesetak godina. Bio je to veoma elegantan čovek koji je govorio francuski sa jedva primetnim naglaskom, kose crne kao gar, začešljane unazad. Takođe uvek učtiv, ali sam ga se bojala. Ponekad je imao veoma prodoran pogled. U Parizu je stanovao u ulici Artoa, u neposrednoj blizini hotela. Trebalo bi da se setim njihovih imena. U tome su prolazila moja slobodna popodneva. A upravo jednog od tih popodneva, Gi i ja smo se šetali po Ženevi. Pokazao mi je mesto na kome se često skrivao tokom svog prvog boravka u tom gradu. Na malom Ronskom trgu. Kada se prođe velika kapija, stupi se u veoma prostran vrt okružen sa svih strana zgradama. Tu više nema nikoga. U sredini vrta, u senci stabala, nekoliko klupa. Prvi put je tamo došao da se odmori onoga dana kada je shvatio da nikada neće naći peruanski konzulat. Noćima, u Parizu, u hotelskoj sobi, ostavljao je upaljeno svetlo. Patio je od nesanice. Nije nikada napuštao kvart u kome se nalazio hotel. Najčešće smo bili sami. U popodnevnim satima pratila sam ga do ureda. Sedela sam sasvim u uglu, kao u predvorju hotela na Roni. Čitala sam novine čekajući ga, a on je razgovarao sa zadihanim debeljkom. Bez prestanka su telefonirali. Debeli je zauzimao mesto u kožnoj fotelji, a on se smeštao na ivicu pisaćeg stola. Dodavali su jedan drugome telefonsku slušalicu. Češće je debeljko bio taj koji je govorio, a Gi je slušao preko priključka. Ponekad je bio prisutan i crnokosi elegantni muškarac, kome je debeljko ustupao mesto za pisaćim stolom.

Gi bi se izgubio u odaji u kojoj se nalazila njegova odeća s koferima i potom mi prišao, dok su se za to vreme ona dvojica smenjivala na telefonu. Donosio mi je svežnjeve novčanica. Kao u Ženevi. Smešio se. Govorio mi je kako ne bi trebalo da sedim tu i čekam ga. To je dosadno. Trebalo bi da obiđem prodavnice i nakupujem sebi odeću. Da, da, zima se bliži, a ja nemam čak ni zimski kaput. Baš sam neka čudna devojka, govorio mi je, vrlo svojeglava, bilo bi bolje da ga poslušam. Brzo po neki veoma topao zimski kaput!

I tako, napuštala sam ured i silazila do prodavnica u ulici Fobur Sent Onore, ali se nisam usuđivala da u njih uđem. Baš kao u Ženevi. Međutim, jednog popodneva kupila sam kišni mantil, a sutradan još jedan par cipela.

Noću, u hotelskoj sobi, ispitivao me je o mom detinjstvu i porodici. Ali, poput njega, i ja sam zametala tragove. Bila sam uverena da ga devojka iz Liona, jednostavna kao ja, sa jednim jedinim imenom i prezimenom, ne može ni u kom slučaju zanimati.

Jednog ponedeljka, trebalo je kao i obično da se nađem sa njim. Bilo je to u novembru. Noć se spuštala rano. Međutim, kada sam stigla u Ulicu Frederika Bastije, mislim da je još uvek bio dan. Primetila sam dva crna automobila parkirana ispred hotela i grupu ljudi, očigledno policajaca, na trotoaru preko puta. Ušla sam. Službenica je bila iza pulta, a za to vreme, oslonjen na njega, stajao je Alžirac u plavom mantilu kojeg sam već primetila u Ženevi.

47

I on je mene prepoznao. Izgledao je smeteno. Još uvek se pitam kakvu je ulogu igrao u svemu tome.

Obratio mi se suvim glasom.

– Nema potrebe da se penjete. Tamo više nema nikoga.

Želela sam da se popnem bez obzira na to. On mi prepreči put. Ponovio je:

– Tamo više nema nikoga.

Žena iza pulta bila je nepomična. Imala je širom otvorene oči, ali bez pogleda. Čovek me blago izgura napolje. Onda mi se tiho obrati:

– Odlazite brzo. Oni još ne znaju ko ste. Zasada ste još uvek samo neidentifikovana plavuša.

Reči ga zagušiše, hteo je još nešto da mi kaže, ali nije više imao vremena. Zastala sam preneražena na trotoaru. Prešla sam ulicu. Prišla sam grupi muškaraca. Upitala sam jednoga od njih šta se to desilo u hotelu. On mi odgovori:

– Nemam pojma o čemu govorite, gospođice.

Merili su me hladnim pogledima. Da sam ostala pored njih, verovatno bi i meni stavili lisice. Uprkos tome, poželela sam da vrisnem, da napravim scenu kako bi mi napokon kazali istinu.

Hodala sam nasumice ulicama toga kvarta. Ulica Artoa. Ulica Beri. Ulica Pontje. Prošla sam pored ureda. Bilo se smrklo. Prošla sam još jednom pored hotela. Bili su još uvek tamo, u grupi, na trotoaru. Ni ona crna vozila nisu se pomerala s mesta. On je poginuo. Ili je odveden sa lisicama na rukama. Noću, u sobi, ostavljao je uvek upaljeno svetlo.

Mislim da je to bilo sutradan. U ulici Vinez, zatvorila sam se u sobu. Mirej Maksimov sam rekla da sam bolesna. To veče je želela da odemo na večeru sa Valterom. Pomislila sam da je možda nešto saznao. Bojala sam se da me ne odvedu u kineski restoran, ali ne – neko je došao po nas u limuzini i vozio nas dugo, do kraja grada koji mi je bio nepoznat. U pivnici sam sela naspram Mirej Maksimov i Valtera. U ogledalu se videlo moje lice, utopljeničko. I ostali su to morali primetiti. Sipali su mi čašu vina, ali nisam mogla ni kap da progutam. Dok su razgovarali, plašila sam se da će mi pozliti, prisiljavala sebe da ih slušam, pokušavala da ne izgubim nit, da se zakačim za njihove reči, za pokrete njihovih usana. Valter je pričao kako bi želeo da napravi reportažu o ljudima koji iščezavaju u Parizu. Pokušaće da noću fotografiše po policijskim komesarijatima. Kad ga niko ne vidi. Privedene. Odneta vozila. Mrtvačnice.

Osetila sam mučninu. Ustala sam ispunjena strahom da ću izgubiti svest. Sišla sam stepeništem do toaleta. Povraćala sam. Nisam želela da se vratim gore. Želela sam da kradomice odem iz restorana i sama hodam ulicama. Još uvek sam bila neidentifikovana plavuša, kao što mi je rekao onaj Alžirac. Za devojke izvađene iz dubina Sone ili Sene često se kaže da su nepoznate ili neidentifikovane. Gajim nadu da ću to zauvek i ostati.

Moj rodni grad je Ansi. Otac mi je umro kada sam imala tri godine, a majka otišla da živi sa jednim mesarem iz okoline. Nismo ostale u dobrim odnosima. Odlazila sam ponekad da se vidim sa njom i njenim novim mužem, ali se osećala nekakva nelagodnost između nas. Verujem da sam joj budila loše uspomene. Bila je to žena stroga i ljuta, nimalo osećajna, za razliku od mene. Njeni napadi besa ulivali su mi strah. Pena joj se skupljala u uglovima usana i vikala je sa naglaskom ljudi sa severa. Činili su čudan par. On je zbog svoje kratke, čekinjaste kose i upalih obraza ličio na ispovednika koji vas ispitivački posmatra želeći da sazna šta ste sagrešili. Pod uticajem ovog čoveka, primetila sam da majka počinje sve više da liči na muškarca. Između njih nije bilo ljubavi, već više one vrste razumevanja koja se razvije između drugova iz vojske ili župnika i njegove domaćice. Uostalom, nisu ni imali dece. Da li je majka ikada bila zaljubljena u moga oca? U svakom slučaju, moglo bi se reći da nju ljubav uopšte nije zanimala, da joj se čak i gadila, te da je moje rođenje predstavljalo samo vid nesrećne slučajnosti u njenom životu.

Moja tetka, majčina sestra, starala se donekle o meni kada sam bila dete. Ni ona nije bila duševna žena. Nije imala poverenja u muškarce. Nije imala poverenja ni u koga. Ni u mene. Moram priznati da nas nije spajala neka čvrsta veza. Jednako kao moja majka, ni ona mi nije bila od velike pomoći.

Uspomene koje nosim iz detinjstva nisu ni dobre ni loše. Verujem da bih se dobro slagala sa ocem samo da je poživeo i da se sve odigralo drugačije. O njemu su mi govorili da je bio „usijana tikva" i dugo mi je trebalo da shvatim šta su time hteli da kažu.

U petoj godini sam pošla u Školu Svete Ane, u blizini Markiza. Tetka je stanovala u mestu Verije na Jezeru. Odlazila je u Verije i u Taloar da radi u vilama imućnih ljudi. Tamo je pospremala, vršila nabavke i kuvala. Kada je bila vrlo mlada, zaposlila se u jednom hotelu u Ansiju, u blizini kockarnice, i ostala u vrlo srdačnim odnosima sa gazdom. On je nastavio da je pomaže kada je bila u novčanim neprilikama. Bila je od onih žena koje znaju dobro da se snađu.

U Školi Svete Ane uvek sam bila najbolja u razredu, pa je direktorka savetovala mojoj tetki da me upiše u licej za mlade devojke kako bih mogla da maturiram. Francuski mi je išao tako dobro da je verovala da ću „daleko dogurati”. Moja tetka se oglušila o njene savete. Upisala me je u internat škole koju su držale kaluđerice, dvadesetak kilometara odatle, na putu za Gran Bornan. Nije to bilo zato što treba da se naučim redu i radu, već samo zbog toga što je želela da me se otarasi. Imala sam dvanaest godina.

Majka nikada nije predložila da živim sa njom. Još manje njen muž, kasapin. U retkim prilikama kada sam navraćala da ih vidim, prenerazio bi me njegov strog pogled koji se spuštao na mene. Kasnije sam shvatila da se taj pogled nije odnosio posebno na mene, već na sve žene. Taj tip je smatrao da su žene zlo i bez sumnje je uspeo da u to ubedi i moju majku. Činilo mi se da bi više voleo da je ona muško.

Nisam nikada upoznala porodični život i, da budem sasvim iskrena, ne verujem ni da bi mi se dopao. Bila sam odviše samostalna. I često previše težila samoći. Ne bih nikada bila u stanju da podnesem nedeljne ručkove, braću i sestre, sestričine, staramajke, proslave krštenja, rođendana, Božića... Jedino privlačno bilo bi mi da živim sa ocem, samo da ga nisam izgubila. Ako ništa drugo, on bi me bar upisao u gimnaziju da položim maturu.

U internatu je disciplina bila mnogo stroža nego u Školi Svete Ane. Prošla sam uzastopno kroz dve spavaonice, za male i velike. Časna sestra je gasila osvetljenje u devet sati naveče i samo je noćna lampa sa plafona ostajala da baca plavičastu svetlost. Više bih volela potpuni mrak.

U šest i petnaest izjutra, zvonilo je za buđenje. Umivale smo se na brzinu za dugačkim umivaonicima koji su podsećali na pojila. Bilo nam je zabranjeno da se svlačimo. Morale smo da krijemo svoja tela od drugih i sebe samih, kao da se radilo o nečemu sramotnom. Nikada nisam razumela zbog čega, uostalom, nisam se ni trudila.

Nakon ustajanja i umivanja, odlazile smo u kapelu. Potom na čas u učionicu. Iza toga, na doručak u trpezariju. Bela kafa bez šećera i hleb bez putera. Samo malo marmelade. Zatim opet u učionicu. Oko jedanaest sati odmor. Pa opet učionica. Ručak. Odmor. Učionica. Odmor i užina, kriška hleba i parče crne čokolade. Naveče učenje. Za večeru, uvek samo jedno jelo – kačamak. Nikada meso. Kapela. Počinak. Sutradan, sve iznova.

Svakog drugog četvrtka odlazile smo u šetnju u okolinu sela ili u radionicu za šivenje i krpljenje... Moja jedina veza sa svetom bio je radio koji sam pozajmila od tetke, ali koji sam morala da krijem. Slušala sam ga uveče u spavaonici i posle ručka, za vreme odmora, u jednom udaljenom kutku predvorja.

Onoga aprila kada sam napunila petnaest godina, sudeći po najnovijim vestima koje sam uhvatila na svom radiju, verovalo se da će se alžirski padobranci spustiti u Francusku. Ponadala sam se da će izbiti građanski rat. Odrasli nisu više imali nikakve vlasti nad nama i ja sam računala da ću, koristeći pometnju, uspeti da pobegnem. Nažalost, sve se sredilo naredne nedelje predveče.

Tokom godina provedenih u internatu, nijedna od osoba koje sam srela na svom putu nije mi ostala u sećanju. Pa ipak, bila sam željna da upoznam pravu ljubav. Međutim, ni za kim mi srce nije zakucalo za sve te godine. Kao da sam ih provela u magli koja skriva sva lica i pojedinosti moga života. I to tako potpuno da sam se pitala da sve to nije samo san. San koji se često ponavlja i u kome ću se uvek ponovo obreti pod plavom noćnom lampom iz spavaonice.

*

Nedeljom uveče čekala sam autobus za internat. Stanica se nalazila nedaleko od velikog platana ispred opštine Verije na Jezeru. Sećam se samo nedeljnih večeri u jesen i zimu. Hvatao se mrak. Ulazila sam u autobus u kome su sva mesta bila zauzeta već od Ansija. Mnoštvo putnika je stajalo zbijeno, na prolazu. Bili su to seljani koji su se vraćali u svoja sela nakon što su pijačni dan proveli u gradu. Ili vojnici na odsustvu. Pa deca. I neki psi. Ja sam stajala odmah iza vozača. Autobus je kretao. Vozio je sporo. Sa desne strane, pre krivine, nešto niže odatle, velika kapija vile *Pod lipama*, u kojoj je moja tetka radila, jednog leta, kod nekih Amerikanaca na odmoru. I tek pošto bi autobus skrenuo putem za prevoj Blufi, na jednom planinskom vrhu pojavio bi se Manton Sen Bernar, poput dvoraca iz vilinskih bajki. Prolazili smo pored malenog groblja u Aleksu. Zatim, pored spomenika palim junacima iz Glijera i njihovih grobova. Pričali su mi da se moj otac, na toj zaravni, borio sa njima protiv Švaba. Verujem da je i on bio junak, iako nije izgubio život za vreme rata već nekoliko godina kasnije.

Autobus se zaustavljao na seoskom trgu i ja sam morala da nastavim put pešice idući pravo još nekoliko stotina metara. Bila sam sama. Nikada nijedna od devojaka nije putovala autobusom sa mnom. Živele su po okolnim selima. Sve osim Silvije, koja je živela u Ansiju, sa kojom sam ostala prijateljica i koja je kasnije našla posao u policijskoj prefekturi. Ali nju su roditelji dovozili kolima.

Hodala sam tim putem i često čeznula da pobegnem. Trebalo je samo napraviti polukrug i sačekati na seoskom trgu autobus koji se u devet naveče vraćao za Ansi. Poći u suprotnom smeru. Stigla bih oko pola deset na poslednju stanicu u Ansiju, na stanični trg. Ali šta posle? Naravno, pod uslovom da imam nešto novca... A sa novcem ne bih ostala u Ansiju. Po silasku sa autobusa, kupila bih kartu za Pariz i sačekala noćni voz. Međutim, nisam još bila spremna da napravim veliki skok. I tako, ponovo bih se obrela u kapeli sa drugima na nedeljnoj večernjoj molitvi.

Moj par iz klupe bila je jedna plava devojčica čiji je otac bio apotekar u Kruzeju. Mislim da je bila isto toliko nesrećna koliko i ja u tom internatu. Ponekad sam joj pozajmljivala svoj radio. Razgovarale smo u predvorju, iako je razgovor udvoje bio zabranjen. Morale smo biti same ili u grupi. Padala je kiša, beskonačna novembarska kiša koja je najavljivala pet meseci snega, tokom kojih sam se osećala još zatvorenija. Ta devojka iz Kruzeja bila je krišom uzela iz apoteke svojih roditelja dve bočice uspavljujućeg sredstva koje se zvalo *imenoktal*. Dala mi je jednu od njih. Objasnila mi je da, ukoliko poželimo da se ubijemo, moramo neizostavno popiti čitavo pakovanje tableta. Zato je dobro uvek imati bočicu uz sebe. „Postajemo tako", govorila mi je ona, „gospodari svoga života i smrti. Niko nam ne može ništa. Sve u životu postaje nevažno. Nikome ne polažemo račune. Slobodne smo." Imala je pravo. Od časa kada sam počela da nosim sa sobom tu bočicu osećala sam se bezbrižnije i ravnodušnije prema disciplini u internatu i svemu što su zahtevale časne sestre.

Plavojka iz Kruzeja nestala je jednog lepog dana. Rekoše da su je izbacili zato što su sestre pronašle u njenom noćnom stočiću „zabranjene" knjige. Znala sam da je čitala noću sa malom baterijskom lampom. Od tada je ostalo jedno prazno mesto, pored mene, u učionici. Gotovo do današnjeg dana čuvala sam pakovanje uspavljujućeg sredstva koje mi je dala, iako ponekad zažalim što ga nisam naiskap popila.

*

Letnji raspust provodila sam kod tetke u Verijeu na Jezeru. Pomagala sam joj da posprema i obavlja nabavke za bogataške kuće u okolini. Zauzvrat, ona mi je davala nešto novca za džeparac. U svojoj četrnaestoj ili petnaestoj godini, izgledala sam starije. Jednoga popodneva, dok smo tetka i ja radile u vili advokata iz Pariza koji je dolazio svakoga leta u Šavoar, on joj reče svojim dubokim glasom: „Vaša sestričina je đavolski lepa." Smeškao mi se stojeći u svojoj biblioteci, prosed, sivoplave talasaste kose začešljane unazad. Đavolska lepota. Nisam znala šta je time želeo da kaže i to me je uplašilo. Kao kada su govorili da je moj otac bio „usijana tikva".

U tim otmenim kućama, dečaci i devojčice mojih godina ponekad bi mi uputili pokoju reč. Ali osećalo se da ne pripadamo istom svetu. Buržuji, sinovi i kćeri iz dobrih kuća. Poticali su iz Liona, tek poneko iz Pariza. Bilo ih je i iz okoline. Odlazili su na plažu *Sporting* u Ansiju, na teniske terene, u školu jedrenja u Markizama. Priređivali su zabave iznenađenja. Nosili su tenisku odeću, trake oko glave, laku obuću, blejzere. Viđala sam ih, zapravo, samo izdaleka.

Leta kada sam napunila šesnaest godina, radile smo u velikoj kući u Taloaru. Za večerom, tetka i ja smo posluživale za stolom. Gospodinu i njegovoj supruzi dolazilo je mnogo gostiju. Po podne su odlazili u Eks-le-Ben da igraju golf. Gospođa je bila negovana plavuša. Imali su četvoro dece, dve kćeri otprilike mojih godina, jednog sina od devetnaest i drugog od dvadeset pet godina, koji je služio vojni rok u Alžiru.

Toga leta, bio je došao u Taloar na vrlo dugo odsustvo. Plavokos, sa jednim svetlijim pramenom i licem za kakva je moja prijateljica Silvija tvrdila da su „romantična". Odavao je utisak sanjalice ili nesrećnika, ali se bratu i sestrama obraćao glasom naredbodavca i budio ih rano izjutra da idu na tenis ili u školu jedrenja. Jutrom, u vrtu vile, dva brata su priređivala takmičenje u sklekovima. Pobeđivao je onaj koji je mogao izdržati duže da, držeći telo u vodoravnom položaju na travnjaku, savija i opruža ruke. Ja sam mu nameštala krevet i spremala sobu, te sam zapazila na noćnom stočiću jednu knjigu čiji naslov još uvek pamtim: *Kako vreme protiče...*

Na zidu pored kreveta, velika fotografija njegove majke, a na pisaćem stolu bodež u kožnoj navlaci.

U nekoliko navrata, videla sam ga kako igra tenis, i to svaki put sa drugom devojkom. Bio je miljenik svoje majke, a kako mi je izgledalo, i on je njoj bio duboko privržen.

Prema meni se odnosio sa prezirom. Jedne večeri, hladnim glasom, zahtevao je da mu donesem sok od pomorandže. Nekog jutra, malo ljubaznije, ali kao da se to samo po sebi podrazumeva, da mu očistim obuću. Drugog dana, opet, rekao mi je: „Ako vidite mamu, kažite joj da ću veče provesti u Ženevi..." To je bilo prvi put da čujem nekoga da izgovara „mama" na takav način. Da sam ja govorila bilo kome o svojoj mati, rekla bih jednostavno: moja majka.

Jedne večeri, oko devet sati, nađoh se nasamo sa njim. Bila sam u kuhinji i upravo završavala pranje sudova kad mi se on obrati:

– Želeo bih da me poslužite viskijem u dnevnoj sobi...

Pripremila sam poslužavnik sa bocom, mineralnom vodom *perije*, ledom i čašom.

U dnevnoj sobi, svetlost lampe ne beše odagnala pomrčinu. Spustila sam poslužavnik na sredinu dugačkog, niskog stola. Osećala sam njegov pogled na sebi. Činio mi se zbunjen, gotovo stidljiv:

– Koliko ti je godina?

Upitao me je to iznenada. Odgovorih mu da imam šesnaest godina. Nastupilo je zatišje.

– A imaš li dečka?

Odgovorila sam da nemam. On otpi jedan gutljaj viskija, tu, pored mene. Ostadoh da stojim.

– Ja sam u tvojim godinama imao mnogo devojaka...

Ton mu je bio nadmen kao da je želeo da mi daje lekcije. Poželela sam da napustim salon. On mi se obrati suvo:

– Ti si zgodna devojka, znaš...

Zatim, najednom nestrpljiv, reče mi brzo:

– Hoćete li biti dobri da dođete u moju sobu?

Ne znam zbog čega sam pristala. Upalio je noćnu lampu. Pritisnuvši me za ramena, gurnuo me je da sednem na ivicu kreveta. Potom me je poljubio. Bio je to dugačak poljubac, vrlo izveštačen, kao u dečaka sa kojima sam se, kada smo imali trinaestak godina, igrala „najdužeg poljupca", gledajući na sat. Prilično me je začudilo što se on u svojim godinama još uvek tako ljubi. Potom, jednim naglim pokretom, obori me na krevet. Ponovo me je poljubio u usta onom istom vrstom „najdužeg poljupca", a onda se stisnuo uz mene. Potom malo popusti stisak. Sada smo ležali jedno pored drugog. Nisam se usuđivala da ustanem. On zapali cigaretu. Delovao je uzrujano. Ponudi i meni jednu. Odgovorih da neću. Onda me upita:

– Jesi li ti stvarno devojka?

Šta je to trebalo da znači? Nisam mu ništa odgovorila.

– Hoću da kažem... jesi li devica?

Upitao je to hladno i nepopustljivo poput lekara. Odgovorih mu da ne znam. Odvratih glavu. Pogled mi pade na fotografiju njegove majke.

Onda leže na mene. Imala sam utisak da će me udaviti. Trljao se o mene, a kako se nije bio svukao, nije se događalo ništa. I opet onaj „najduži poljubac". Bila sam kao od leda. Osećala sam da ne veruje u sebe, a po glavi mi se vrtelo ono pitanje koje mi je postavio tonom lekara ili sveštenika. Pitala sam se da li se na isti način ponaša i prema drugim devojkama, onima sa tenisa. Nikada nije bio sa istom. Postajao mi je težak. Nastojao je da me poljubi u vrat sa odviše navaljivanja. Činio je to sa naporom. Prisiljavao se. Udaljio se opet od mene, a ja se zapitah da li treba duže da ostanem. Nisam uopšte znala zbog čega sam još uvek tu. Sa fotografije, posmatrala nas je njegova majka.

– Hoćeš li da ti pročitam nešto veoma lepo?

Bila sam zatečena tim pitanjem. Pružio je ruku prema noćnom stočiću i uzeo knjigu čiji je naslov bio: *Kako vreme protiče...*

– Ovo je vrlo lepo... Odlomak se zove *Noć u Toledu...*

Počeo je da čita visokoparnim glasom propovednika. Bio je to opis ljubavne noći koju je proveo neki par, u hotelskoj sobi, u Toledu. „Oni su nagi, telo uz telo... u nevinosti vrta, dok za to vreme, napolju, španska noć..." Nastavljao je sa čitanjem: „Telo mladića, uspravno, pored svoga plena... Bratski okršaj..."

Kada je završio sa čitanjem, ja prasnuh u smeh. Posmatrao me je netremice, zblenuto.

Spusti knjigu između nas. Lice mu najednom poprimi neki tvrd izraz, a usne postadoše još tanje nego maločas. Nisam više uspevala da obuzdam smeh.

– Gubi se odavde, mala prljava sluškinjo!

Bila je to smešna reč, reč koju više niko ne upotrebljava, ali je takvim izrazom nesumnjivo želeo da me ponizi. Ustala sam i zastala malo pored vrata. Gledala sam ga pravo u oči tako da me nije uspevao naterati da spustim pogled. Usne su mu se sve više tanjile. Činilo mi se da će početi da sipa uvrede nekim visokim, tankim glasom. Ženskim glasom, poput glasa njegove majke. Ili da će stati da šišti kao zmija.

*

U ona popodneva i večeri za vreme raspusta koje mi je tetka ostavljala slobodna – dva puta sedmično – odlazila sam autobusom u Ansi. Stanica se nalazila pored visokog platana, ali sa druge strane puta, pre crkve. Kakvo je to bilo uživanje poći putem suprotnim od onoga koji vodi u internat... Nisam se vozila do kraja, silazila sam na stanici kod kockarnice.

Nalazila sam se sa Silvijom, prijateljicom iz internata. Sastajale smo se u kafeu koji je nosio naziv *Regana*, desno iz ulice Plakje. Silvija je bila dve godine starija od mene. Napustila je internat odmah posle božićnog raspusta, a kako je umela da kuca na mašini, ponudili su joj posao u policijskoj prefekturi. Leti, kada smo odlazile na filmsku projekciju od dvadeset jedan sat, ostajala sam da spavam kod nje. Moja tetka nije imala ništa protiv toga, pod uslovom da se sutradan vratim u Verije tačno u sedam sati ujutru da bismo mogle spremati bogataške kuće. To joj je bilo jedino važno.

Šetale smo se ulicama i po radnjama i išle na plažu u Markizama. Oko šest sati uveče odlazile smo na piće u baštu *Pivnice*, smeštenu pod stubovima, ili u baštu kafea *Kazino*. Naprijatnije od svega bilo je saznanje da se provod produžava do duboko u noć.

U *Pivnici* je pred sam sumrak bilo mnogo sveta. Devojaka i mladića, nešto starijih od nas, koji su se vraćali iz kluba *Sporting*. Naručivali su aperitive, komplikovane koktele. Bilo je i onih koji su parkirali svoje kabriolete uz samu ivicu terase pa pijuckali viski ili sok od pomorandže naslonjeni na spuštene krovove svojih automobila. Svuda oko nas, osmehivali su nam se momci. Silvija je bila izrazito plava, koliko sam ja crnka, ali oči su nam bile iste boje: plave. Uz to, kako izgleda, ja sam bila i „đavolski lepa", iako mi to nije ulivalo ništa više samopouzdanja.

Pozivali su nas da sednemo za njihov sto. Bili su ponekad pet, deset, pa i dvadeset godina stariji od nas. Na kraju smo ih sve upoznale... Visokog i plavog Žaka zvanog Markiz sa tamnim naočarima i maslinastim sakoom, koji se kladio u visoke sume, Pjera Furnijea, koji je šetao na uzici svoju persijsku mačku i poigravao se štapom sa okruglom drškom, crnku Dominik, koja je izgledala kao da se neprekidno smrzava u svojoj kožnoj jakni podignutog okovratnika dok prolazi ispod stubova, a za koju su govorili da vodi „dvostruki" život u Ženevi... Pa Zazija, Pempena Lavorela, zlatokosu Rozi. Klod Crni i Paulo Ervije su nas jedno veče odveli u bioskop da pogledamo *Lepu Amerikanku*, film koji su mnogo voleli i znali napamet jer su ga, rekoše nam, gledali već pedeset i tri puta. Oni i mnogi drugi čijih se imena više ne sećam. Ali Silvija i ja smo bile pomalo divlje. Najčešće smo se držale po strani. Govorila mi je o svojim planovima. Nije želela da ostane u tom kraju. Čvrsto se nadala da će naći zaposlenje u Parizu. Jedan njen stric vodio je neku kafanu, tamo, u ulici Vožirar. Bilo je to ime koje je navodilo na sanjarenje. Vožirar.

A šta ja da radim? Zapitkivala me je da li mislim još dugo da ostanem u internatu. Čvrsto sam verovala da neću. Priželjkivala sam da se i ja zaposlim u prefekturi i ne zavisim više od tetke. Pravile smo planove. Sledeće godine, Silvija će se nekako snaći da ode u Pariz. Iznajmiće sobu, a onda će i mene pozvati da dođem u Vožirar.

Imale smo prilike da provodimo večeri sa onima koje smo sretali u *Pivnici* i koji bi nas rado pozivali na večere i izvodili u noćne klubove u Ženevi. Međutim, mi smo više volele da ostanemo same.

Silvija je bila razumnija devojka od mene. Ona je jedino snevala da otputuje i nađe dobar posao u Parizu, u blizini ulice Vožirar. Objašnjavala sam joj kako bih i ja volela da otputujem, ali samo da bih srela *veliku ljubav*. Tu gde sam sada nikada neću imati prilike da je upoznam. Njoj je to bilo smešno.

Oko devet sati polazile smo u bioskop. Nekih večeri u *Splendid*, a drugih u *Holivud* u ulici Somelije. Čak i tamo gde su ulaznice bile malo skuplje, u bioskope *Kazino* ili *Voks*, nedaleko od *Pivnice*. U pauzi, kupovale smo sladoled na štapiću.

Bicikle smo ostavljale pored nekog stabla, na samom početku korzoa u ulici Plakje. U ponoć, svuda je vladao mir. Vraćajući se prema Silvijinoj kući, vozile smo duž jezera lagano, jedna pored druge, pod lisnatim svodom avenije Albinji.

*

Ona nedelja krajem septembra, na početku nove školske godine, bila mi je posebno tužna dok sam čekala autobus da me odvede u internat. Trebalo je da uhvatim autobus ranije nego obično, već u četiri sata po podne, da bih mogla stići pre osam naveče na večernju molitvu.

Te noći, u spavaonici, nisam nikako mogla da zaspim. Bila sam izgubila naviku da ležem tako rano. San me je stigao tek oko dva ili tri sata izjutra, ali sam se s vremena na vreme naglo budila, a pod onom plavom noćnom lampom nisam mogla da se setim gde se, zapravo, nalazim.

U učionici, nijedna od devojaka nije došla da sedne pored mene i zameni plavušu iz Kruzeja. Više mi je i odgovaralo da to mesto ostane slobodno. Još uvek sam u džepu čuvala bočicu *imenoktala*. Tokom ona dva meseca raspusta krila sam je na dnu jedne fioke kod svoje tetke. Sada je sve ponovo počinjalo.

Međutim, dogodila se jedna neobična stvar. Tokom oktobra, shvatila sam da mi više nije potrebna ona bočica *imenoktala* da mi uliva hrabrost. Povinovala sam se disciplini. Spavaonica, učionica, radionica, dvorište, trpezarija, kapela.

Ali to me se više nije ticalo. Bila sam daleko. Imala sam utisak da slušam neku izgrebanu ploču. Činila sam još mali napor da čujem staru melodiju dok uskoro i tome ne dođe kraj.

Časne sestre su primetile ovu promenu. Osmehivala sam im se, ali ih više nisam slušala. Zaboravljala sam kućni red. Jednoga jutra, svukla sam se potpuno da bih se umila i tako prošla kroz čitavu spavaonicu do svoga kreveta, na koji sam potom prilegla na časak, gola. Da sam imala kutiju cigareta, zapalila bih jednu, opružena na krevetu s pogledom u tavanicu. Kaluđerice i ostale učenice gledale su me zaprepašćeno. U tom času sam se veoma zabavljala.

Majka nastojnica mi je odredila pokoru. Ja sam joj se osmehivala. U jednom trenutku, ona mi reče:

– Izgledate nekako odsutno... Da li me čujete?

Pomislila sam da će me uhvatiti za ramena i protresti, kao da želi da me probudi. Bila sam daleko... Nisam je uopšte više slušala.

*

Za vreme onih nekoliko dana raspusta za Sve Svete, još više sam se udaljila od svega što je sačinjavalo život u internatu. Izgledalo mi je kao da se posle letnjeg raspusta i nisam tamo vratila, nego da sam na svoje mesto poslala sestru blizanku.

U podne, čekala sam Silviju ispred prefekture. Odlazile smo do *Regane* na sendviče. Ponovo smo pravile planove za budućnost. Sanjarile smo o ulici Vožirar. I mada se Silvija iščuđavala što se u svojim planovima ne obazirem više na internat, nisam se usudila da joj priznam da sam ga u mislima već bila napustila.

Kad sam je u dva sata ispratila natrag do prefekture, dogovorile smo se da se vidimo uveče. Kao i toga leta, htele smo u bioskop.

Ostala sam sama da krstarim avenijom Albinji. Nisam tačno znala šta da radim da mi prođe vreme. Osim Silvije, nisam imala nikoga kome bih se poverila. Razmišljala sam o svome ocu. Jedan čovek iz Ansija, izvesni Bob Brin, koji je držao neki kafe preko puta pošte, dobro ga je poznavao. Srela sam ga samo jednom kada mi je bilo dvanaest godina. Lekar me je hitno uputio u bolnicu zbog jake upale slepog creva. Operisali su me i ostala sam čitavu sedmicu tamo. Onoga dana kada su me otpustili, srdačno me je dočekao upravo Bob Brin. Primetila sam da je u bolničkoj kancelariji potpisao neke papire i da im je platio. Nešto kasnije, saznala sam da su majka i očuh, iz tvrdičluka, zatražili od Boba

Brina da plati lečenje. Postidela sam se i zbog sebe i zbog njih.

U petak po podne, na Zadušnice, prepešačila sam ulicu Roajal dok mi je srce udaralo kao ludo. Šetala sam gore-dole ispred pošte dok se napokon nisam odlučila.

Bili su to sati popodnevnog zatišja. U kafeu nije bilo nikoga. Samo, iza pocinkovanog bara, čovek koji se zvao Bob Brin. Riđokosa ljudina širokog lica. Nije se nimalo promenio od moje dvanaeste godine. Čitao je novine. Prišla sam mu.

– Gospodine...

On podiže pogled sa novina. Pogledao me je, ali nisam imala utisak da me je video. Kazala sam mu:

– Ja sam kćer...

Nisam bila u stanju da izgovorim ime i prezime svoga oca. Odjednom sam se uplašila da me se on uopšte ne seća.

Čovek je podigao obrve i ovoga puta dobro me pogledao. Reče mi:

– Lisjenova kćer?

Ostali smo tako nekoliko časaka gledajući se bez reči. Već sam poverovala da ću briznuti u plač. Ali on nastavi kao da se obraća običnoj mušteriji:

– Šta želite da popijete?

Povratila mi se staloženost. On nam oboma usu konjak u čaše ne pitajući me za mišljenje.

*

U ulici Roajal vrtelo mi se u glavi od konjaka i svega onoga što mi je rekao o ocu. Usijana tikva. Kao dvadesetogodišnjak bio je lutalica. Nastavio je tako i za vreme rata, u Pokretu otpora. Nakon toga, nije mogao više da se prilagodi. Miran život nije bio za njega. Trgovina zlatom na švajcarskoj granici. Žene, nervna napetost. Uvek je recitovao istu pesmu: *I onda se setim prošlih dana...* Pošto bi se rukovao sa nama, tvoj otac je svaki put imao običaj da se našali: „Imaš li još sve prste?" A onda, oni događaji u garaži Balmetovih... Reči su stizale jedna drugu, ali nisam saznala ništa više sem toga da je otac hodao istim ulicama kao i ja. On je takođe dolazio na piće u baštu *Pivnice*. I odlazio u bioskop *Voks*. Dok sam se spuštala ulicom Roajal, imala sam utisak da hodam u njegovoj senci. Majka i tetka nisu mi nikada govorile o njemu, kao da su htele da ga zaborave, kao da nije bio ništa drugo do velika prljava senka. Tek tada sam shvatila da sam ja za njih bila osoba iz te senke. To je bio razlog što su uvek bile tako ravnodušne prema meni i upućivale mi podozrive poglede. Nisu me volele. Ni ja njih nisam volela. Čist račun.

Nisam ni primetila kako sam sledeći aveniju Albinji već ostavila prefekturu za sobom. Hodala sam nogu pred nogu dok nije počela kiša. *I onda se setim prošlih dana...* Trebalo bi da naučim tu pesmu.

*

U ponedeljak posle Zadušnica, Silvija i ja smo kao i obično zakazale sastanak u *Regani*. Želela sam da joj pričam o svome ocu, ali nisam znala kako da počnem. Već prethodnog dana, dok smo se šetale korzoom Plakje i u prolazu mimoilazile sve one ljude u nedeljnoj odeći sa svojom decom i psima, poželela sam da joj se poverim. Ali sam ipak i dalje ćutala i razmišljala da li bih među svim tim ljudima mogla naći nekoga ko je poznavao moga oca.

Iste večeri smo otišle i u bioskop, međutim, meni nikako nije polazilo za rukom da se udubim u radnju filma. Trebalo je da se vratim kod kaluđerica, a pomisao na to mi se prvi put učinila smešna. Kao da me neko na silu tera da obučem haljinice koje sam nosila kao mala. Tokom tri dana ostarila sam za nekih desetak godina.

*

Čekala sam autobus pored onog platana. Bila sam sama. Bilo je mračno, iako je dan. Činilo se da samo što nije pao sneg. Sve to – sneg, Zadušnice, opalo lišće i kiša pomešana sa gradom – uvek u isto doba godine. Ulazili smo u zimu. Ponovo će u spavaonicama vladati studen, takva da se više uopšte nećemo svlačiti niti želeti da se umivamo onom hladnom vodom. Trenutke odmora ćemo zbog snega provoditi u predvorju, onom predvorju u čijem dnu postoji čitav niz klozeta sa vratima koja se ne zatvaraju. Ali nisam nikome smela da priznam da mi je sve to postalo besmisleno. Otac bi imao barem malo razumevanja za mene.

Bila sam u njegovoj senci, osećala sam to. Nisam znala zašto toliko čekam pokraj tog platana. Došlo mi je da se nasmejem. Usijana tikva. Očevi napadi teskobe. Pređoh na drugu stranu.

Autobus se zaustavio kod platana. Možda je vozač čekao putnike. Ali nije bilo nikoga. Nalazila sam se sa druge strane puta. Gledala sam kroz staklo glave ljudi na sedištima i onih koji su stajali na prolazu. Reklo bi se da je bilo nešto više sveta nego obično. Vrata su se zalupila. Autobus je krenuo uz buku motora koji je stenjao. Proći će pored vile u Tijolu, dvorca Manton San Bernar i groblja u Aleksu. Stalno istim putem.

*

Ukrcala sam se u drugi autobus, onaj za Ansi, koji je dolazio iz drugog smera i zaustavljao se ispred crkve. Bila su samo tri putnika, tri momka u uniformama. Morali su da se vrate u svoje kasarne, kao što sam ja morala da ponovo odem u onaj internat. Razgovarali su bučno, svi uglas, pobojala sam se da će početi da mi dosađuju. Kada je autobus već ostavio za sobom zavoj Šavoar i uputio se pravo pored jezera, uhvatio me je strah. Zapitala sam se šta ću ja, zapravo, u Ansiju. Nisam imala novca. Sišla sam na stanici ispred kockarnice.

Nigde nikoga. Iza mene avenija Albinji, pusta sa svojim ogolelim stablima. Pod bledom svetlošću uličnih svetiljki izgledalo je kao da se pruža, u pravoj liniji, do samog beskraja. Kafe *Kazino* je bio zatvoren, ali je svetlost blistala iza velikih prozora na prvom spratu. Za jednim stolom sedele su senke. To je klub u kome su neke od žena u čijim smo vilama radile igrale bridž jednom sedmično.

I pred ulazom u bioskop gorelo je svetlo. Vodoskok su bili isključili. Ni jednog jedinog automobila. Sve je bilo mirno. Da nije bilo onih senki iza velikog prozora, moglo bi se reći da osim mene nema ni žive duše u gradu. Javio mi se osećaj praznine. Strah se povratio. Bila sam sama, bez ikakvog utočišta u ovom mrtvom gradu. Nisam se usuđivala da potražim sklonište kod Silvije. Tamo su bili njeni roditelji. Trebalo bi da se pravdam pred njima. Nisam želela da je dovedem u nezgodnu situaciju. Možda ću ipak pronaći izlaz iz ovog ružnog sna. Gde li ću se probuditi? U spavaonici internata? Krenula sam ulicom Roajal nadajući se da ću u onom kafeu opet pronaći Boba Brina, čoveka koji je poznavao moga oca. Zamoliću ga da mi pomogne. Hodala sam brzo. Pokušavala sam da dišem koliko je moguće ravnomernije. Strah se nije gubio. Kafe u Poštanskoj ulici bio je zatvoren. Pošla sam ulicom Roajal u suprotnom smeru. Moji koraci su se razlegali trotoarom. Nije se još bilo sasvim smrklo. Izlog knjižare je svetleo. Ulaz u hotel *Anglter* isto tako.

Stigla sam do kraja ulice Plakje, negde blizu *Pivnice*. Kretala sam se sama, ispod stubova. Ulaz u *Voks* bio je osvetljen. Jedna žena je sedela u zastakljenoj blagajni gde se prodaju bioskopske ulaznice. Hodala sam nasumice. U glavi mi se vrtelo. Skrenula sam desno hodajući stalno pod stubovima. Moji koraci su odzvanjali još jače nego u ulici Roajal. Načinih polukrug. Ponovo sam prošla ispred *Pivnice*. Pogledala sam kroz staklo. Sala je bila prazna. Sasvim u dnu, za jednim stolom, samo tri osobe. Prepoznala sam devojku koja je sedela na tapaciranom sedištu: plava Gael, stara drugarica iz razreda u Školi Svete Ane. Šminkala se još u ono vreme. Sada je bila zaposlena u jednoj parfimeriji u ulici Roajal.

Ušla sam i zaputila se prema njihovom stolu. Gael i neka dva tipa buljila su u mene zabrinuto. Verovatno sam čudno izgledala, pošto me je jedan od njih zapitao:

– Vama je loše?

Neonsko svetlo duž zida me je zaslepljivalo. Nisam više dobro videla njihova lica. Jedan od onih mladića me prihvati za ruku i pomože mi da se smestim na sedište pored Gael.

– Jedan konjak... i ići će nekako...

Vrlo polako ispijala sam konjak. Stvarno mi je bilo bolje. Privikavala sam se na neon. Oko mene je ponovo postalo jasno. Bilo je sve čak i jasnije nego obično, kao na filmskom platnu. I njihove reči jače su se čule.

– Kako vam je?

Osmehivao se. Gael i drugi mladić smešili su mi se takođe. Prepoznala sam ih obojicu. Onaj koji me je pridržao da sednem zvao se Lafon, tamnokosi tridesetpetogodišnjak okrugla lica koji je u letnjim večerima bez prestanka pričao i smejao se u bašti *Pivnice*. Svima je plaćao aperitive, a čim bi sastavili stolove, poveo bi glavnu reč u grupi. Bavio se prodajom štofova između Liona i Ženeve. I drugi je leti bio čest gost *Pivnice*, smeđ, mršav, nešto malo mlađi od Lafona. Zvao se Orsini. Pričali su da živi u Ženevi. Niko nije ništa znao o njemu.

Gael me je zapitala šta radim ovde sama. Kazala sam im da se nisam vratila u internat zato što sam propustila autobus.

– U ovim godinama još ste u internatu? – upitao me je Lafon.

Orsini je delovao isto toliko začuđen.

– Koliko godina biste joj dali? – zapita Gael.

– Dvadeset godina – reče Orsini.

– Ima šesnaest kao i ja – kaza im Gael.

– Pazite – odgovori Lafon podižući strogo kažiprst. – Nema više šale za večeras. Stare ste dvadeset jednu godinu. I punoletne.

A to je bilo tačno, Gael i ja ostavljale smo utisak da imamo dvadeset jednu godinu.

– Odvešćemo vas sutra ujutru u internat – rekao mi je Orsini.

Zapitala sam se zašto sutra ujutru.

– Pa da – reče Gael – nije strašno što si propustila autobus...

Kao i obično, imala je ajlajner i ruž za usne, a nosila je kratku crnu kosu. Kao da je tek izašla iz salona. Nokti su joj bili dugački, namazani crvenim lakom. Svi osim polomljenog nokta na srednjem prstu. Bilo bi mi draže da sam naletela na Silviju. Ali, u ovo doba, Silvija je već odavno kod kuće.

– Pođite sa nama na večeru! – predloži Orsini.

Zahvatila me je neka otupelost. Ustala sam i hodala pored njih pod stubovima, kao u snu. Sve je postalo lako, pustila sam se da skliznem. Kola su bila parkirana na samom uglu Jezerske ulice i njihovo mi se prisustvo učinilo nametljivo kao da su jedina u gradu.

– Mrzi me da hodam – objasnio je Lafon.

Gael se smestila pored njega na prednje sedište. Orsini i ja bili smo stisnuti na zadnjem zato što se tamo nalazio i jedan kožni kofer. Prebacio mi je ruku preko ramena. Lafon krenu. Počeh da se smejem. Verovatno zbog konjaka i straha od maločas. Vratiće se on, kasnije. Međutim, nije trebalo više misliti o njemu, već se lagano prepustiti. Nisam prebacivala sebi zbog toga što sam se našla u tim kolima.

*

Savojska krčma bila je prazna kao i *Pivnica*. Šef sale nam donese jelovnike. Nisam osećala glad. Često sam prolazila pored ovog restorana kad se nađem na Trgu Svetog Franje i nisam mogla ni zamisliti da ću i ja jedne večeri sedeti tu... Smatrala sam da je *Savojska krčma* namenjena samo bogatašima, onima koji stanuju u luksuznim kućama u kojima smo radile tetka i ja.

Momci su odabrali po jedno jelo. Gael takođe. Zaprepastilo me je njeno držanje. Naručila je guščiju džigericu i ostrige. Želela je da i ja naručim isto, ali meni je to izazivalo mučninu. Lafon me je upitao da li bi mi više prijalo meso.

– Veoma ste bledi – rekao je Orsini. – Treba da vas nahranimo.

Gledao me je ljubazno. Da li mu se moglo zaista verovati?

– Nećeš valjda da odbiješ večeru? – upita me Gael. – To bi bilo vrlo nepristojno...

Govorila je nekim ozbiljnim tonom. Skoro se moglo poverovati da je dobila aristokratsko vaspitanje.

– Vas dve se poznajete odavno? – zapitao je Lafon kao da mi čita misli.

– Išle smo zajedno u školu – odgovori Gael.

– Biće da se u toj školi uče zabavne stvari – reče Orsini sa ljubaznim osmehom koji je podrazumevao još nešto.

Pošto su navaljivali, naručila sam najzad voćnu salatu i sladoled. Lafon je poručio i bocu šampanjca. Bila sam jedina koja nije pila.

*

Na Trgu Svetog Franje, pobojala sam se da me ne ostave samu. Orsini me obgrli oko ramena. Osetih olakšanje. Činilo mi se da bih bila u stanju da ih sledim kuda god da pođu.

Ponovo smo ušli u kola i seli na ista mesta kao i prvi put. Gael reče okrenuvši se prema meni:

– Nemoj biti zabrinuta zbog internata. Imamo čitavu noć pred sobom... I ja moram da radim sutra ujutru u osam sati...

Lafon dade gas. Želeli su da odu u *Sintru*, u ulici Vožela. Orsinijeva ruka pritiskala mi je rame.

Nigde nikoga. Nijednih kola. Svetlost se ugasila pred bioskopom *Kazino* i iza velikog prozora na prvom spratu. Kada sam ugledala pustu aveniju Albinji, pravu kao strela pod uličnom rasvetom, moj strah se opet javio.

Ulica Vožela je bila u mraku. Spazila sam malu crvenu sijalicu pred ulazom u *Sintru*. Kad smo stupili unutra, čovek koji je sedeo za barom poskoči kao da smo ga probudili.

– Upravo zatvaramo...

– Eto vidite – reče Lafon – uvek neko prijatno iznenađenje u poslednjem času...

Sedosmo za jedan sto. Poželela sam da popijem nešto da smirim svoju paniku. Zapitala sam da li bih mogla da poručim jedan viski. Gael me pomilova po glavi pomalo zaštitničkim pokretom.

– Dakle, i ti prelaziš na viski? Trebalo bi da ga piješ sa sodom...

Nazdravismo. Otpih jedan dobar gutljaj. Ukus je bio gorak, ali je razvejavao strah.

Nismo više osećali potrebu za razgovorom, čovek za barom pusti muziku. Gael je naslonila obraz na Lafonovo rame i namigivanjem mi davala znak da učinim isto Orsiniju. Bila sam spremna na bilo šta samo da se strah ne vrati. Pogled mi je sleteo na jedan plakat zalepljen na zidu: *Zaštita maloletnika od opijanja na javnim mestima*. Došlo mi je da se nasmejem. Ko je zaštitio mene? Sve mi se pomešalo u glavi. Mladić iz vile u Taloaru, tamo, na svom krevetu, dok mi je čitao *Noć u Toledu*. A pored nas, na zidu njegove sobe, „mamina fotografija", kako je govorio. Mene majka nikada nije uzela u zaštitu. Jedan jedini put kada me je otpratila do internata bilo je u četiri sata po podne umesto u sedam, da bi me se što brže otarasila. Svake nedelje morala sam da se snabdem sa dve table crne čokolade zato što smo u internatu crkavali od gladi. Pomenute nedelje, majka je rekla svom mužu da zaustavi kola ispred jedne pekare i nas dve smo pošle da mi kupi čokoladu. Međutim, u momentu plaćanja primetila je da nema novca kod sebe. Pomislila sam da će otići da potraži od njega. Umesto toga, ona mi reče smeteno:

– Nemoj mu to pominjati... Kupiću ti čokoladu neki drugi put...

Nije htela da zatraži novac od njega. Draže joj je bilo da on uštedi, pa makar mene pustila da crknem od gladi. Nisam za nju predstavljala ništa. To sa čokoladom me je zaprepastilo.

– Izgledate tužno – reče Orsini.

Sve troje me je ćutke posmatralo. Gael je netremice posmatrala moju obuću.

– Trebalo bi da kupiš nove cipele...

Možda je htela da mi održi lekciju iz elegancije. Ili naprosto da kaže bilo šta da malo popravi raspoloženje.

– Ima divne obuće kod Sedrika... Pokazaću ti sutra ujutru...

Na kraju su zaplesali. Gael sa Lafonom. Pa onda sa Orsinijem. Ja sam im kazala da ne znam da igram. I Lafon i Orsini navaljivali su jedan za drugim, ali ja sam ih odbila. Nisam ih slušala. Slušala sam jedino muziku, tužnu, prigušenu muziku, i činilo mi se kako ne dopire spolja već iz unutrašnjosti moga bića. Jedna od onih melodija koje ne uspevamo dobro da razaznamo usred žagora, a koja mnogo kasnije odzvanja u tišini pre nego što se ponovo izgubi. Njihova lica su se stapala u jedno, otvarali su usta u razgovoru, ali ja ih više nisam čula. Bila sam zaboravila i gde se nalazim, i okolnosti koje su me dovele do ovakvog mesta. Jedan par je plesao. Uvek samo jedan. Gael i Orsini. Lafon i Gael. A ja, ja nisam bila drugo do ta daleka melodija, koja je polako gasnula da bi iznova počinjala sve sporija, kao da je, koristeći se tišinom, želela još malo da potraje.

*

U ulici Vožela najednom sam primetila da nemam više putnu torbu u kojoj sam svake nedelje nosila u internat čist veš i čokoladu. Malo pre toga, zaboravila sam je u *Pivnici*.

Ovoga puta je Orsini seo za volan, a ja pored njega. Lafon ga je zamolio da prvo njega i Gael odveze do hotela *Anglter*. Zatim Orsini i ja možemo otići da potražimo putnu torbu, ukoliko *Pivnica* nije već zatvorena.

Kad su se kola zaustavila pred hotelom *Anglter*, Gael me pogladi po kosi.

– Vidimo se za koji časak, devojčice – reče mi ona.

Onda se zaputi, držeći Lafona za ruku, pošljunčanom stazom koja je vodila ka hotelu. Hodala je malo nesigurno. Orsini napravi polukrug i mi se spustismo ulicom Roajal.

Pivnica se upravo zatvarala. Stolice su već bile raspoređene po stolovima, a jedan od kelnera je čistio salu osvetljenu samo jednom neonskom cevi. Moja putna torba se nalazila tamo, na jednom od stolova.

– Vraćam te u internat, znači? – upita me Orsini.

Obraćao mi se sa „ti". Krenuo je kolima avenijom Albinji i ja sam verovala da će pratiti celom dužinom tu pustu, pravu liniju pod uličnim fenjerima, a potom nastaviti uobičajenim putem, onim kojim idu autobusi nedeljom uveče. Međutim, kad je stigao do prefekture, načinio je polukrug. Upravo u tom času javilo mi se predosećanje da moj život stupa na neki nov kolosek. Okončalo se za mene ono doba u kome je svaki rasplet moguć, odakle se može na bilo koju stranu, kao iz nekog predvorja.

Činilo mi se da se kola kreću sve sporije i da još čujem malopređašnju muziku, iako smo krstarili pustim ulicama.

Zaustavio se pred ulazom u hotel *Anglter*. Pošli smo puteljkom posutim šljunkom prema uredu recepcionera, u kojem nije bilo nikoga. Popela sam se stepeništem za njim. Hodnik na prvom spratu bio je osvetljen samo noćnim svetlom. U vratima jedne sobe stajao je ključ.

Propustio me je napred. Velika soba je bila u polumraku. Sasvim u dnu, odškrinuta vrata od kupatila odsecala su kvadratić svetlosti. U levom uglu, Gael i Lafon opruženi na divanu jedva su se nazirali. Gael je stenjala sve jače. Orsini zaključa vrata sa unutrašnje strane i povuče me ka krevetu sa bakarnim šipkama. Nešto kasnije, delovao je iznenađen. Po njemu, nisam bila čak ni devica.

*

Nisam se više vratila u internat niti ikada videla tetku i majku. Nije to bio za mene ogroman gubitak. Preko Boba Brina, nekadašnjeg očevog prijatelja, našla sam mesto servirke u jednom kafeu-čajdžinici u Jezerskoj ulici, pod stubovima. U toj istoj zgradi dadoše mi i sobičak na poslednjem spratu.

U januaru, Silvija je otputovala u Pariz. Rekla mi je da će raditi kod svoga strica u Vožiraru i da će nastojati da me dovede, kako je bilo planirano. Nekih petnaest dana kasnije, dobila sam od nje dopisnicu na kojoj je pisalo: „Sve je u redu. Do skorog viđenja. Ljubim te." Nije mi poslala svoju adresu. Na žigu pariske pošte stajalo je: ulica Renod. Posle toga, nikakve više vesti od nje. Sigurno je zaboravila na mene.

Zima se završila i dani su tekli jednolično. Radnim danom nije bilo previše gostiju u čajdžinici. Dolazili su subotom i nedeljom, u vreme praznika oko Pokladnog utorka ili Uskrsa. Nisam više nosila crnu internatsku kecelju sa crvenom vrpcom oko vrata već drugu vrstu uniforme – crnu suknju i malu čipkanu kecelju. Iste kretnje, iste reči svakoga dana. Nisu to više bile spavaonica, učionica, trpezarija i kapela. Bili su išleri od čokolade, čaj sa mlekom, espreso, sladoled od pistacije i jagoda, padobranci ili: „Gospođice, još malo šećera, molim vas." Uveče sam bila slobodna, pa sam se šetala ulicama i odlazila u bioskop. Tih zimskih i prolećnih meseci nisam viđala gotovo nikoga. Više mi je odgovaralo da budem sama. Skoro pet godina u internatu, živela sam neprekidno sa drugima. Ni jednog jedinog trenutka tokom dana u kome sam mogla da budem sama, nijedne svakodnevne radnje koja se nije izvršavala grupno: ishrana, spavanje, umivanje... U prvo vreme bila sam iznenađena time što imam sobu samo za sebe i budila sam se naglo noću, u strahu da sam još pod plavkastom noćnom lampom iz spavaonice. Morala sam da palim svetlo da bih se umirila. Jeste, to je bilo završeno i dobro se završilo.

Uveče, u šetnji, mogla sam da odem u neki park ili na Marsovo polje nedaleko od avenije Albinji, na sva ona mesta sa pogledom na jezero koja tako privlače turiste. Međutim, ja sam se kretala u suprotnom smeru. Bez ikakvog razmišljanja, sopstveni koraci uvek su me vraćali na stanični trg.

Noću sam ulazila u stanični hol i sedala na neku od klupa na peronu sa koga polaze vozovi za Pariz. Sebe sam zavaravala da ću stvarno sesti u jedan od njih i ostaviti za sobom sve što je činilo moj dosadašnji život. Ali sam, za razliku od Silvije, želela da pobegnem još dalje od Pariza, u neku zemlju u kojoj se ne govori francuski, i da definitivno porušim sve mostove za sobom.

Vraćala sam se u sobu. Putem niz ulicu Roajal osvajao me je osećaj obeshrabrenosti. Stopiću se do kraja sa ovim gradom i nikada neću sresti nikoga sposobnog da me iščupa odatle. I bojala sam se da polet koji se rađao u meni ne počne, iz dana u dan, sve više da slabi.

*

Najlepše godišnje doba se vratilo. Bilo je to leto mojih sedamnaest godina.

U junu su me obavestili da sledećeg meseca neće moći da me zadrže kao servirku. Zbog toga sam se pojavila na recepciji hotela *Imperijal* da, na preporuku Boba Brina, porazgovaram sa šefom. Rekla sam da mu stojim na raspolaganju ako neko od bogatih gostiju tokom leta želi devojku za čuvanje dece ili ako on sam traži konobaricu ili sobaricu.

Recepcioner me je dugo ispitivao pažljivim pogledom i obećao da će učiniti sve što može da bi mi našao neki posao. Potom mi reče:

– Vi ćete daleko dogurati...

I ponovi još jednom:

– Vi ćete daleko dogurati...

Verovatno je hteo da me ohrabri. Baš tog dana osećala sam se užasno utučeno. Nisam imala nikakvih izgleda za budućnost. Tri dana kasnije recepcioner mi javi da će me jedna gospođa kojoj me je preporučio čekati u *Imperijalu*.

Zvala se El-Kutub, bila je žena od sedamdeset pa i više godina, ali je izgledala kao da ima pedeset. Živela je malo u Parizu, malo u Lozani, a provodila godišnji odmor u *Imperijalu*. Moja uloga bi se sastojala u tome da budem „dama" u njenoj pratnji. Trebalo je, takođe, da se staram o njenom psu.

Od našeg prvog susreta, kod gospođe El--Kutub me je začudilo to što se nije ponašala kao buržujke koje sam sretala po vilama na obali jezera. Obraćala mi se prisno, kao da sam joj kćer ili unuka, naglaskom za koji mi je recepcioner objasnio da potiče iz „pariskog predgrađa". Poverio mi je takođe da je ona sa dvadeset godina bila plesačica. Sada je bila udovica.

*

Juli koji sam provela uz nju bio je za mene jedini lep deo tog leta. Trebalo bi dodati da je ovaj posao bio neuporedivo lakši nego spremanje vila sa tetkom, prethodnih godina, ili posao servirke u čajdžinici, gde sam po čitav dan bila na nogama.

Trebalo je da šetam psa rase bokser, kog je gospođa El-Kutub prozvala Bobi Robijaš zato što je nalazila da ima razbojničku njušku. Takođe sam joj pravila društvo za ručkom, na ogromnoj terasi hotelskog restorana *Imperijal* sa pogledom na jezero. Pre toga bih psa nahranila u sobi, a potom ga povela da se pridruži svojoj gazdarici u restoranu. U četiri po podne i sedam naveče šetala sam psa. Zatim sam pratila gospođu El-Kutub u kockarnicu. Ostajala je tamo do jedanaest sati noću igrajući bakaru, kako mi je objasnio recepcioner. Ja sam za to vreme čuvala psa u sobi i izvodila ga oko deset sati u poslednju šetnju. U jedanaest sam sačekivala gospođu

El-Kutub pred kockarnicom da bih je otpratila do *Imperijala*. Nakon toga bi mi dala kovertu u kojoj sam svakog dana pronalazila po tri novčanice od sto franaka. U koverti se nalazio i jedan list plave hartije za pisanje. U gornjem levom uglu bilo je zaglavlje:

Elijet El-Kutub
Avenija maršala Monurija broj 1
Pariz, XVI.

Preko čitave stranice bila je ispisana njenim krupnim rukopisom, samo jedna reč: h v a l a.

Prvoga dana, poverovala sam da je to moja mesečna plata. Kazala sam joj da mi može platiti krajem jula. Ona je slegla ramenima. Potom mi je rekla:

– Mala moja, bolje je da budeš plaćena svakog dana... Veruj mi... To je pametnije...

Dva puta nedeljno išle smo taksijem u Lozanu, vodeći i psa. Tamo je veći deo vremena provodila u hotelu *Na lepoj obali*. Bila je odlučila da se, počevši od te godine, tamo definitivno nastani. Nakon boravka u Ansiju, neće više nogom preći granicu. Objasnila mi je da joj Francuska i Pariz bude mnogo loših sećanja. U Lozani se, govorila mi je, vreme zaustavilo. Neće više ni o čemu misliti. „U Lozanu dolaze žene moga kova koje su kao ja imale više života."

Taksi nas je ostavljao ispred hotela *Na lepoj obali*, gde se gospođa El-Kutub viđala sa svojim prijateljima na partiji kanaste. Ja sam šetala psa u hotelskom parku. Obišavši oko teniskog terena, zaputili bismo se stazom duž koje se, na travnatoj uzbrdici, nalazilo mnoštvo malih grobova, psećih grobova na kojima su stajali natpisi sa imenima ili posvete na engleskom, francuskom, španskom i nemačkom. Datumi na njima pokazivali su da su ti psi živeli u prvoj polovini veka i da su poticali iz raznih zemalja. Jedan je bio čak iz Amerike. Nisu samo žene poput gospođe El-Kutub okončavale svoj vek u Lozani. Bilo je i pasa.

Večeravala sam sa Bobijem Robijašem u hotelu. Taksi je dolazio po nas oko jedanaest sati i sve troje smo se vraćali u Ansi. Takvim danima, gospođa El-Kutub mi je plaćala pet stotina franaka.

Vezivala sam se sve više za nju i tog psa. Dok smo se šetali po parku hotelâ *Imperijal* ili *Na lepoj obali*, pas bi se s vremena na vreme zaustavljao i posmatrao me nekako čudno. Izgledalo je kao da želi da mi kaže kako me ne uzima zaozbiljno i da me uveri kako smo, zasada, u dobrim rukama. Samo neka ostane tako. U Ansiju sam ga često, oko deset sati uveče, odvlačila u duge šetnje. Išli bismo zajedno do stanice. Kada smo se vraćali, nisam čak morala ni da mu stavljam povodac. Znao je sve o životu, kao gospođa El-Kutub.

U taksiju koji nas je vozio u Lozanu, bila je veoma ljubazna prema meni i zapitkivala me o mom životu. Jednoga dana, držeći me za ruku, reče mi kroz osmeh:

– Stičem utisak da si od istog soja kao Elijet El-Kutub...

U prvi čas je nisam baš najbolje razumela. Muškarci su je, rekla mi je ona, obasipali „na svaki način”. Nadala se da će tako biti i sa mnom, iako ne ličimo jedna na drugu. U mojim godinama, ona je bila plavuša sa smaragdnim očima. Rado bi mi dala poneki savet, ali vidi koliko se svet izmenio od njene mladosti. Muškarci više nisu pravi muškarci. Postali su džimrije i račundžije. Siromasi. Odgovorila sam joj da mene ne interesuje novac već samo velika ljubav.

– Znaš... novac nije prepreka velikoj ljubavi...

Najednom je postala zamišljena, čak i tužna. Putem prema Lozani, vozač je imao običaj da uključi radio. Jednu pesmu koju smo mnogo volele i gospođa El-Kutub i ja često su puštali na radiju toga leta:

Ljubav je kao dan,
odlazi, odlazi san...

*

Jednoga jutra kada sam stigla u hotel, šef recepcije mi je saopštio da gospođa El-Kutub nije više tamo. Otišla je usred noći sa Bobijem Robijašem ne davši nikakvo objašnjenje. Ostavila je i jedan koverat za mene. Hiljadu franaka u novčanicama od sto franaka i h v a l a njenim krupnim rukopisom.

Ovaj odlazak mi je zadao mnogo bola. Ljudi zaista na neki čudan način nestaju... Narednih dana sam mnogo mislila na gospođu El-Kutub, na njenog psa, na Silviju, na moga oca... Uveče, koraci su me odvodili prema stanici i kafeu u Poštanskoj ulici.

Bob Brin je upravo brojao pazar za tezgom i spremao se da zatvori kafe. Ali stvarno je bio zadovoljan što me vidi. Pronašao je neke stvari zaostale od moga oca i hteo je da mi ih preda.

Bila je to jedna tašna svetlobraon boje. Ona je sadržala nekoliko knjiga i fotografija i jedan revolver sa mecima u maloj kutiji. Izvadivši revolver, rekao mi je da se njime moj otac služio za vreme rata, a i kasnije. Bio je odličan strelac. Navaljivao je da mi pokaže kako se rukuje tim revolverom, tačnije „automatskim pištoljem".

Iako ne volim oružje, pratila sam njegova objašnjenja. Nakon svega, da bih bolje razumela svog nepoznatog oca, možda je trebalo da se krećem njegovim tragovima i ponavljam njegove pokrete. Na onim fotografijama, otac je često bio sa ženama, ali nikada sa mojom majkom.

To veče počela sam da čitam knjige koje je i on verovatno čitao, budući da su se nalazile među njegovim stvarima:

Ulica mačka pecaroša
Život Žana Mermoza
Priručnik o alpinizmu
Priručnik o maskiranju.

Uz to jedna mala izbledela knjiga: Antologija pesništva XIX veka, u kojoj je podvukao dva stiha: I onda se setim / prošlih dana..., ali i pored svega nisam nešto više saznala o njemu.

*

Krajem avgusta, šef recepcije mi je napomenuo da neki gosti u *Imperijalu* traže devojku za čuvanje dece. Par veoma bogatih ljudi od tridesetak godina, gospodin i gospođa Aspen. Gospođa je bila plavuša odbojnog držanja koja je izgledala kao da se stalno duri. Nije mi se nijednom obratila, jedva da smo se i videle. Gospodin mi se od početka nije dopao: uobraženi

Francuz, kapriciozan kao razmaženo dete. Pošto nije podnosio da neko koristi hotelski teniski teren u njegovom odsustvu, neprekidno ga je zakupljivao. Iznajmljivao je, takođe, motorni čamac te se po čitav dan skijao na vodi sa svojom ženom. Bio je osoran, ali je voleo da glumi dobrotu prema ljudima koje je smatrao nižima od sebe. Tako je i meni jednom rekao:

– Ne... Nema potrebe da mi se obraćate sa „gospodine"... Mi smo svoji...

I zurio u mene svojim podrugljivim i radoznalim pogledom ispod teških očnih kapaka. Uporno sam nastavila da mu se obraćam na isti način. Bio je to plav muškarac, talasaste, gotovo loknaste kose, sa pocrnelom kožom i plavim očima, za koga su mi na recepciji kazali da podseća na „italijanskog prestolonaslednika", kao da sam ja mogla znati o kome je reč.

Tri dana sam čuvala njihovo dvoje dece. Vodila sam ih na kupanje na plažu Sporting. Potom sam im pravila društvo za ručkom na terasi restorana i pratila ih do njihove sobe na popodnevni odmor. Oko pet sati, ponovo smo išli na bazen. Večeravali su u pola osam, u svojoj sobi, koja se nalazila pored roditeljske. Odlazili su u krevet u devet sati. Do ponoći sam čekala povratak gospodina i gospođe Aspen. Čitala sam im jednu od knjiga moga oca: *Ulica mačka pecaroša.*

Nakon ova tri dana, otputovali su sa decom u Ženevu, gde stanuju. Ali sutradan, gospodin Aspen je ponovo telefonirao šefu recepcije. Potrebna im je devojka u Ženevi na nedelju dana, dok se dečja guvernanta ne vrati sa odmora. Oni bi voleli da dođem ja. Ne znam zbog čega sam pristala. Bez sumnje da bih zaradila još nešto novca pre nego što definitivno napustim taj kraj. Gde sam smerala da odem? To još uvek nisam znala, ali sam želela da bude što je moguće dalje odatle. A i šef recepcije mi je savetovao da pristanem. Osećao je neku vrstu divljenja prema „gospodinu Frederiku", možda zbog njegove sličnosti sa naslednikom italijanskog prestola. Ispričao mi je kako se deda gospodina Frederika obogatio u Americi, pre rata, zahvaljujući pronalasku plastičnog materijala koji se mnogo koristio u industriji. Gospodin Frederik je nasledio svoga dedu pre deset godina. Živeo je u Švajcarskoj i Americi, a pošto je njegovo bogatstvo bilo ogromno, gospodin Frederik je, naravno, počeo pomalo da se oseća iznad zakona i ograničenja kojih se moraju pridržavati obični smrtnici. Dolazio je često da provede po nekoliko dana u *Imperijalu* u Ansiju zato što ga je majka tamo dovodila kao dete. Uostalom, dirljivo je koliko on voli svoju majku. Već ta primedba šefa recepcije trebalo je da me navede na oprez. I onaj drugi, iz Taloara, mnogo je voleo svoju majku.

*

Trebalo je da se javim gospodinu i gospođi Aspen pre večere. Na stanici sam čekala autobus za Ženevu. Bilo je to jedne nedelje uveče. Nešto dalje, na staničnom trgu, drugi autobus se spremao da krene i motor je već brundao. Bio je to onaj kojim sam svake nedelje odlazila u internat.

Osetila sam mučninu. Pokušala sam da je savladam. Na kraju krajeva, nisam morala po svaku cenu otići da radim u Ženevi. Ali pomislila sam da se možda vredi pomučiti za sedmičnu zaradu od hiljadu petsto franaka. Popela sam se u autobus sa putnom torbom, onom istom koju sam nosila u internat i u koju sam stavila, osim ličnih stvari i pribora za higijenu, i stvari koje su pripadale mome ocu, a koje sam želela da čuvam kao amajlije: knjige, fotografije i revolver sa mecima.

Autobus je krenuo. Bilo je mnogo manje putnika nego onih večeri kada sam se vraćala u internat. Nekoliko sedišta je ostalo prazno. Zauzela sam mesto pozadi, sasvim u dnu, i stavila torbu na susedno sedište.

Nije se još bilo smrklo. Zaustavili smo se Kruzeju. Setila sam se plavuše, svoje drugarice iz klupe, koja je ovde živela. Šta li je bilo sa njom? Još uvek sam čuvala onu bočicu *imenoktala*, ali baš toga dana nisam je ponela sa sobom.

Sveti Julijan Ženevski. Granični prelaz. Na carini, nisu nam ni pogledali isprave. U sumrak, autobus je prolazio predgrađem jednog meni nepoznatog grada. Zaustavio se na autobuskoj stanici.

Jednom službeniku, na još otvorenom staničnom šalteru, dala sam adresu gospodina i gospođe Aspen moleći ga da mi objasni put. Odgovorio mi je da je to podaleko odatle ako se ide pešice, tek iza parka *Izvorske vode*. Zbog toga sam uzela taksi. Zamolila sam vozača da me ostavi na keju, nekoliko stotina metara od stana gospodina i gospođe Aspen. Htela sam malo da se prošetam da bih smirila svoju paniku. Spustila se noć. Pod svetlošću uličnih fenjera, obale Lemanskog jezera podsećale su na obale u Ansiju. Sa moje leve strane, nalazila se metalna ograda velikog zdanja koje je moglo biti policijska prefektura. Trotoar i platani činili su se istovetni onim na aveniji Albinji.

Držala sam u ruci putnu torbu i hodala kao da je u pitanju jedna onih nedelja kada se vraćam u internat. Nikada se ništa neće promeniti. Sve se ponavljalo na isti način, u istom dekoru. Recepcioner mi je rekao: „Vi ćete daleko dogurati", ali ja sam se već godinama vrtela i vrtela bez nade da ću izaći iz kruga... Preplavili su me obeshrabrenost i osećaj samoće, protiv kojih nisam ni pokušavala da se borim. Međutim, znala sam koliko mi je malo bilo potrebno, jedan blagi glas, nečija ruka na mom ramenu...

Pozvonila sam na kapiji. Koraci su dugo odzvanjali pošljunčanom stazom. Gospodin Aspen je došao da mi otvori. Bio je i dalje plav i loknast i još više pocrneo nego u Ansiju. Pozdravio me je nekim vrlo neobičnim osmehom. I na neobičan način streljao pogledom ispod svojih teških kapaka. Reklo bi se da je bio pijan. Držao je u ruci svećnjak, a marama mu je bila zavezana preko okovratnika razdrljene košulje. Pošli smo stazom koju je osvetljavao jedan fenjer, tamo dalje, pred kućnim tremom. Bila je to bela kuća sa velikim francuskim prozorima u koju se stupalo iz hodnika sa stubovima, neuporedivo veća i luksuznija od vila u kojima sam leti radila sa tetkom.

Pred ulazom, u dnu stepeništa, saopštio mi je:

– Deca nisu večeras kod kuće. Vraćaju se sutra iz Gštada sa mojom ženom. Ako želite, pokazaću vam vašu sobu.

Imao je onu vrstu nehajnog držanja i osmeha koji vas navode na pomisao da prema vama ne gaji ništa do prezira i podsmeha. Pod je bio mermerni, sa crnim i belim rombovima. Pošao je da zaključa ulazna vrata od kovanog gvožđa. Najednom mi se učinilo da sam upala u zamku. Krenuvši prema stepeništu, on reče:

– Onda, da vas otpratim do vaše sobe?

Pela sam se stepenicama za njim. U času u kome sam ga videla da zaključava ulazna vrata, osetila sam panični strah, međutim, na stepeništu mi se hladnokrvnost vraćala sa svakim korakom. Na odmorištu prvoga sprata, okrete se prema meni:

– Tu sam sa jednim prijateljem. Hoćete li da popijete nešto sa nama?

Taj predlog me je prenerazio.

– Kako želite, gospodine...

– Nemojte mi se više obraćati sa „gospodine”... Bar ne večeras...

I osmehivao se.

Uveo me je u mali salon čiji su zidovi bili obloženi drvetom. U jednom uglu biblioteka. Ispred kamina, jedan kauč. Svetlo je dopiralo iz lustera i lampe sa kamina. Zavese na prozorima bile su navučene. Na kauču je sedeo jedan čovek. On se podiže. I on je bio plav, srednjeg rasta, istih godina kao gospodin Aspen, tridesetpetogodišnjak. Nosio je sako sa kravatom. Oko ručnog zgloba zlatnu narukvicu.

Pružio mi je ruku i predstavio se:

– Ja sam Alen. A vi ste Frederikova prijateljica?

Imao je glas u piskavim prelivima i nezdravo, naborano lice mladog starca.

– Ona je nova bebisiterka – odgovorio mu je gospodin Aspen.

Potom je ovaj počeo da me odmerava kao marvu. I da potvrdno klima glavom.

Na niskom stočiću stajao je poslužavnik sa dopola ispijenom bocom konjaka. Na ivici stola, dve čaše. U pepeljari, ugašena cigara.

– Sedite – rekao mi je gospodin Aspen.

Zauzela sam mesto na kožnoj fotelji. Putnu torbu sam stavila na kolena.

– Sedite udobnije!

Uze moju putnu torbu i spusti je između fotelje i kauča. Onaj drugi nastavi da me posmatra i dalje se smeškajući, ali se zbog njegovih hladnih očiju osmeh činio lažan.

– Zapravo i nije bio nešto naročit onaj italijanski restoran – rekao je gospodin Aspen.

Iznad kamina visio je uramljen portret neke žene. Imala je vrlo svetao ten i srećan osmeh.

Nesumnjivo njegova majka, kojoj je on bio naj-draži ili jedini sin.

– Pametno smo uradili što nismo otišli u *Klub 58* da lovimo – reče onaj drugi – budući da imamo kod kuće tako šarmantnu gošću...

Gospodin Aspen ga je posmatrao sa ukoče-nim osmehom i zadivljenim, skoro zaljubljenim pogledom. Verovatno je postojala neka mutna veza među njima.

– Pošto deca nisu ovde večeras – reče drugi – neka ona čuva nas...

– Šta želiš da radi sa tobom, Alene? – upitao je gospodin Aspen vidno se zabavljajući.

Tek tada sam zapravo shvatila koliko su bili pijani i spremni na sve. I ovaj drugi se, da se izra-zim kao recepcioner, morao osećati iznad zako-na i ograničenja koji su važili za obične smrtni-ke. A ja sam za njih bila manje od smrtnika.

Gospodin Aspen je ustao. Pošao je da uga-si veliko svetlo. Svetlost je sada bila prigušenija pored kauča. Onaj drugi je, prišavši mi, seo na ivicu fotelje i počeo da me gladi po potiljku.

– A sada – rekao je – pokazaćete nam kako čuvate decu...

Gospodin Aspen se smestio na kauč, vrlo blizu mene, kao da se spremao da prisustvuje nekoj zanimljivoj predstavi. Osećala sam i dalje pritisak ruke onog drugog na svome potiljku. Želeo je da mi pogne glavu i savije leđa, ali sam se ja držala ukočeno i nisam se pomerala ni za milimetar.

– Više bih volela da odemo u moju sobu – rekla sam.

Oni su izgledali iznenađeni što delujem potpuno mirna.

– Pa da... Ima pravo – reče drugi. – Biće nam bolje u njenoj sobi...

Pritisak ruke na mom potiljku je oslabio.

Ustala sam. Gospodin Aspen isto tako. Ponela sam i svoju putnu torbu.

– Vaša soba je na drugom spratu – reče on.

– Potrudi se da dobro pripremiš našu bebi-siterku za mene – propiskuta drugi tankim glasom. – Dolazim za pola sata...

I nastavio je da mi se smeška.

– Daću sve od sebe – odgovorio mu je gospodin Aspen.

– Da... Baš tako... Daj sve od sebe...

I prasnuo u još tanji smeh nego što mu je bio glas.

Izašli smo iz salona. Ponovo sam se pela stepeništem iza njega.

Soba je bila prostrana, sa velikim krevetom i svetložutim svilenim tapetama. Iz sobe se ulazilo u kupatilo čija su vrata bila širom otvorena.

Između dva prozora, toaletni stočić pretrpan češljevima, puderima i flašicama parfema. Shvatila sam da to nije moja soba. U vratima je bio ključ. Zaključao je vrata. Stavio ključ u džep. Postajala sam sve pribranija.

– Mogu li da odem na časak u kupatilo, gospodine?

Potvrdno je klimnuo glavom. Ćušnuo mi je u ruku novčanicu od pedeset franaka kao da mi daje napojnicu.

– Ove noći možeš nastaviti da me zoveš „gospodine”... Obožavam to...

Ušla sam u kupatilo sa putnom torbom. Zatvorila sam vrata za sobom i pustila vodu iz slavine na lavabou. Ostavila sam vodu da teče. Sela sam na ivicu kade i počela da preturam po torbi. Izvadila sam pištolj i malu kutiju sa mecima. Napunila sam ga. U svakom slučaju, biće to uvek isti pokreti. Ista godišnja doba. Ista jezera. Isti autobusi nedeljom uveče. Ponedeljak. Utorak. Petak. Januar. Februar. Mart. Maj. Septembar. Isti dani. Isti ljudi. Isti sati. „Još uvek imaš sve prste?", znao je da pita moj otac.

Ušla sam u sobu. On me je čekao sedeći u fotelji pored toaletnog stočića. Poskočio je. Zatreptao svojim teškim kapcima. Biće da sam nadarena za gađanje koliko i otac, pošto se gospodin srušio od prvog hica.

III

Zaboravila sam, nesumnjivo, mnoštvo pojedinosti, ali kada se setim tog vremena, ponovo začujem zvuk kopita.

Stigla sam u Pariz onog januara kada sam napunila devetnaest godina. Jedan Austrijanac koga sam upoznala prethodne jeseni u Noting Hilu pozajmio mi je ključ svog ateljea u Parizu. Spremao se na duži boravak na Majorki i više mu je odgovaralo da u njegovom odsustvu nekoga bude u ateljeu. Prihvatila sam ponudu.

Nisam poznavala kraj grada u koji je trebalo da dođem. Bila je to ulica Šovelo, nedaleko od Kapije Vanv. Veliki stakleni zid ateljea gledao je na malu baštu i baštenski paviljon, koji su delovali napušteno. Kada sam se našla sasvim sama na tom mestu, zapitala sam se da li ću biti u stanju da ostanem. Napustila sam London skoro bez razmišljanja zato što me ništa nije zadržavalo u njemu. A ovde, u Parizu, u ovoj nepoznatoj četvrti, bila sam stvarno odsečena od sveta.

Te prve noći u ateljeu trebalo mi je dugo da zaspim. Sve je bilo toliko tiho kao da niko ne stanuje u zgradi. Vrlo rano probudio me je topot kopita. Pomislila sam da pukovnija konjanika prolazi bulevarom, nedaleko odavde.

Te poslednje sedmice januara vreme je bilo lepo. Nebo je bilo prozirno plavo. Dani su se smenjivali pod uvek istim plavim nebom i uvek istim suncem. Preostalo mi je još dve hiljade franaka koje sam dobila kada su me otpustili iz *Barkersa*. Sa tim se mogao preživeti mesec, a potom je trebalo da se vratim u London.

Dva ili tri dana nakon mog dolaska, telefon je zazvonio oko jedanaest sati ujutru. Tek što sam se probudila. Ženski glas je tražio Georga Kramera, kako se zvao Austrijanac. Rekla sam da je otputovao. Ćutanje. Potom je žena zapitala ko sam ja. Odgovorila sam da čuvam atelje u njegovom odsustvu. Ostavila je svoje ime i broj telefona da bih mu prenela, ako mi se javi. U svakom slučaju, ona će se javiti za nekoliko sedmica.

Smatrala sam da mi je telefon na noćnom stočiću potpuno nepotreban. Prošlo je i previše vremena otkako sam napustila Francusku da bi mi probudio sećanje na neke ljude. Uzalud sam pokušavala da se setim kome bih mogla da se javim. Zaista, nije bilo nikoga. Niko neće doći da poremeti moj životni ritam. Pa ipak, oko šest sati naveče, obuzimala me je toliko jaka zebnja da me je dovodila na pomisao kako uvek mogu pozvati bar onu ženu koja mi je ostavila svoj broj telefona. Zapisala sam ga na komadiću papira koji sam odložila u fioku noćnog stočića. Otvarala sam fioku. Zagledala broj. Otej 15-28. Znala sam ga napamet. A onda, možda će telefonirati i Georg Kramer da me upita je li sve u redu. Pa i žena je kazala da će se ponovo javiti. Zaista, nije sve toliko beznadežno.

Rano po podne, uzimala sam metro na stanici Vanv i silazila na Monparnasu. Odatle sam ulicama Ren i Vožirar stizala do Luksemburškog parka i Latinskog kvarta. I stalno ono plavo nebo i ono januarsko sunce. Obilazila sam knjižare i kafee na bulevaru Sen Mišel. Grupe studenata na bulevaru delovale su smirujuće. I ja bih volela da nosim knjige u torbi, odlazim na predavanja i imam raspored časova. Mogla sam da pođem i na desnu obalu, na Jelisejska polja ili Velike bulevare, ali u onom času više mi je odgovarao ovaj kraj. Na kraju krajeva, tu je dolazila većina mojih vršnjaka.

Često sam gledala po dva filma odjednom i dok sam naveče sedela uz druge ljude u maloj sali ulice Šampolion čekajući da film počne, zaboravljala sam svoju samoću. Ali na izlasku iz bioskopa, strepnja bi me ponovo sčepala. Trebalo je zaputiti se natrag ulicom Vožirar, pa ulicom Ren sve do Monparnasa. Užas je postajao jači za vreme vožnje metroom, u polupraznom vagonu. Imala sam utisak da se atelje Georga Kramera nalazi na drugom kraju sveta, a taj se utisak pojačavao na stanici Vanv, odakle sam imala još nekoliko minuta pešice.

Nakon prvih sunčanih dana sa plavim nebom, počelo je opet zimsko vreme. Januarsko sivilo i hladnoća pojačali su moje neraspoloženje. Moji vršnjaci, među koje sam nastojala da se umešam u kafeima i malim bioskopima, postali su mi strani. Ili, bolje rečeno, ja sam bila strankinja. Slušala sam ih kako govore i nisam više razumevala njihov jezik, a mogla sam biti sigurna da bi i oni mene teško razumeli. Nastojala sam da objasnim sebi sva ta osećanja, sebi koja nikada nisam bila nepristupačna. To se prvi put javilo još u Londonu, dan nakon što su me otpustili iz *Barkersa*. Za godinu i po dana, bila sam se privikla da radim u robnoj kući. Nije da sam baš volela taj posao, ali bez njega, najednom, moji dani su postali potpuno prazni. Da, počelo je to u Londonu. Zapravo, dok sam još uvek bila kod *Barkersa*.

Kad padne noć, moj panični strah se smiruje. Noć u Parizu sa kontrastom između pomrčine i svetlosti činila mi se stvarnija od maglovitih dana, kada se pitamo da li je zaista dan jer nam izgleda da nas sivilo osvaja i pomalo briše.

Nisam više izlazila iz ateljea pre nego što padne noć. Po čitavo po podne slušala sam radio ili gramofon da me ne bi ugušila tišina. Mnoštvo knjiga bilo je poređano na policama duž zida u dnu. Uzimala sam bilo koju od njih. Ali i kad sam čitala, ostavljala sam radio ili gramofon. Te knjige su govorile o putovanjima, o dalekim zemljama i zaboravljenim ostrvima. Vodiči, mape, pomorske karte. Lako je bilo ostati čitavog dana u ateljeu kod Kapije Vanv i „putovati" na sva četiri kraja sveta. Bivalo mi je lakše dok sam vreme provodila u čitanju jer me je ohrabrivalo da i sama pravim planove za put. Na kraju krajeva, bila sam slobodna da otputujem kuda želim, ali za početak nisam bila spremna da odem daleko.

Oko šest sati predveče napuštala sam atelje. Prvi pravi strah stizao me je već u metrou. Te večeri sam bila odlučila da odem u neki drugi kraj grada. Uobičajena putanja pešice ulicama Ren i Vožirar već mi je izazvala strepnju. Latinski kvart mi je postajao sve sivlji verovatno zato što sam se prema njemu uvek kretala istim ulicama.

.

Sa Monparnasa, krenula sam do Jelisej-skih polja. Sledila sam dugačak hodnik u kome je pisalo: „Pravac Kapija Šapel". Uletela sam u masu ljudi u času najveće gužve. Trebalo je ho-dati pravo, u protivnom se moglo desiti da me pregaze. Ljudska plima je oticala lagano. Kretali smo se stisnuti jedni uz druge, a hodnik je posta-jao sve tešnji kako smo se približavali stepeništu kojim se spušta na peron. Nisam više mogla da se vratim, a kako sam pustila da me vuku sa so-bom, učinilo mi se da se utapam u masu. Da ću u njoj potpuno i nestati pre nego što stignem do kraja hodnika.

Na peronu sam pomislila da mi nikad neće poći za rukom da se iščupam. Okolna masa me je prosto unela u jedan vagon. Nakon toga, na svakoj od stanica, novi talas putnika me je sve više potiskivao u ugao.

Kompozicija se zaustavila. Bila sam stisnu-ta, ali sam uspela nekako da se oslobodim pu-štajući da me ponesu oni koji izlaze. Ponovo sam izašla na svež vazduh. Ponovo sam živela. Gla-sno sam ponavljala svoje ime, prezime i datum rođenja kako bih se uverila da postojim.

Pošla sam nasumice. Srećom, i noć je pala, vazduh je postao hladan. Umirivalo me je što su svetlosti tako jasne i bleštave i što se na semaforima u pravilnim razmacima smenjuju crveno i zeleno svetlo.

Zahvaljujući toj noći i tom svežem zraku, naglo sam uspela da se trgnem iz ružnog sna u kome su mi noge tonule u blato. Sada je trotoar pod mojim nogama ponovo postao čvrst. Da bih se vratila u atelje, trebalo je samo da idem pravo. Moja svest nikada još nije bila tako bistra, kao da sam popila neko sredstvo – kod *Barkersa* mi se već u popodnevnim satima događalo da uzmem vitamin C da bi me održao na nogama kada me savlada umor. Iznenada mi se javio čudesan smisao za orijentaciju. Sledila sam ulice idući pravo. Tek kasnije, saznala sam njihove nazive, Ulica doktora Rua, ulica Duto. Bila sam sigurna da sam pronašla najkraći put za povratak u atelje. Stigla sam do trga Alre, tihog kao da pripada nekom malom gradu iz unutrašnjosti. Jedan kafe je još svetleo. Ušla sam. Poručila sam martini. To ime mi je došlo, ne znam kako, kao neko sećanje iz detinjstva.

*

Od te večeri, nisam se više usuđivala da idem metroom. Da bih izbegla gužvu, trebalo je da krenem iz ateljea rano po podne, međutim, kad bih pomislila na obavezno presedanje kod Monparnasa, beskrajan hodnik... A jedini autobus koji je prolazio pored Kapije Vanv išao je levom obalom, putem koji sam od tada želela da izbegnem: ulicama Ren i Vožirar.

Sutradan po podne ponovo sam navratila u kafe na trgu Alre. Nije bilo potrebe za dugim putovanjem metroom kroz Pariz. Bilo je bolje ostati u blizini i ići samo pešice kao da živim na selu.

Nekoliko narednih dana ponovo plavo nebo i zimsko sunce. Sedala bih za neki od stolova u bašti, a iz dna sale su dopirali do mene zvuci elektronskog bilijara. Čovek koji je igrao svakog dana od dva do pola tri bio je crnomanjasti muškarac u belom mantilu, zaposlen na klinici u susedstvu. Tačno u dva i trideset, izlazio je iz kafea i polazio na kliniku. Njegova tačnost mi je ulivala osećaj sigurnosti. Oko tri sata, bokser, pas vlasnika kafea, smeštao se na pločnik ispred ulaznih vrata. Gotovo u isto vreme, kapija štamparije preko puta otvarala se da propusti kamionet koji se zaustavljao pred kafeom: dva mlada čoveka su izlazila da popiju po čašicu za šankom. Jedan od njih bi stavio novčić u džuboks pa bi se začula uvek ista melodija: *Bleđe od bele senke*, koja me je sećala na London. Kad su napuštali kafe, mlađi bi mi uvek lako klimnuo glavom uz smešak. Njihov kamionet je nestajao iza ugla ulice Alre. Samo nekoliko časaka kasnije, i pas je ustajao i vraćao se u kafe. Potom, do sumraka, nije bilo više nikoga.

Jednog popodneva sam shvatila zbog čega često rano izjutra čujem onaj topot kopita. Iz kafea na trgu Alre vratila sam se u atelje ulicom Bransion, koju nisam poznavala. Iako je to bio kraći put, stekla sam običaj da prolazim ulicom Kastanjari. U stvari, tih prvih dana nisam se mnogo kretala po kraju, ne računajući onih nekoliko koraka do metroa.

Te večeri, u ulici Bransion, prošla sam pored *Vožirarske klanice za konje*. Takav je bar natpis stajao iznad jedne od žičanih kapija. Hodala sam naspramnim trotoarom. Posle klanice, ređalo se više kafana, jedna do druge. Ulaz u jednu od njih bio je širom otvoren. Na podu sam primetila piljevinu koja je bila natopljena krvlju. Za tezgom tri krupna, zajapurena muškarca tiho su razgovarala. Jedan od njih je iz džepa sakoa izvadio ogroman novčanik. Bio je pun novčanica, koje je stao da broji kvaseći kažiprst jezikom. Upitala sam se da li je to jedan od onih što ubijaju konje. Kada sam nekoliko dana kasnije prošla opet istom ulicom, u njoj se rano izjutra održavala konjska pijaca. I drugi muškarci, isto tako krupni, zajapureni i natrontani, stajali su u grupama na trotoaru pokraj žičane ograde.

119

Ja, koja sam obično spavala do podneva, počela sam da se budim sve ranije, čak i kad bi se desilo da čitam ili slušam muziku i nakon ponoći. Jednoga jutra, probudila sam se još ranije. Iako se još nije bilo razdanilo, poželela sam da doručkujem u *Okretnici*, jednom od onih kafea na bulevaru Lefevr. Tamo sam prvi put videla povorku konja. Videla sam ih kako izlaze po mraku i prolaze pustim bulevarom Lefevr. Ponovo isti topot kopita, u istom skladu, samo nešto lakši od onoga koji sam slušala u svom polusnu. Bilo ih je samo desetak. Ovoga puta, mogla sam i da ih vidim. Sa strane, ali skoro na čelu povorke, jedan čovek je vukao konja za uzde. Njega sam negde već bila srela. Možda na stanici metroa. Zapazila sam njegove bele čuvarske pantalone, kožnu jaknu i maramu vezanu oko vrata. Bio je prilično visok, crnokos, uvelog lica. Prolazio je vukući i dalje za uzde onog konja. Prošli su pored kafea i skrenuli u ulicu Bransion. Izgubila sam ih iz vida, ali se još uvek čuo topot kopita, dok sam ja nastavila ukočeno da iščekujem momenat kada će i on nestati.

Gazda kafea me je posmatrao iza svoje tezge. Rekao mi je da tog jutra nije bilo mnogo životinja i da su stigle sa Neija okolnim bulevarima. Prepoznao ih je po njihovom držanju: bili su to jahaći konji kojih su hteli da se otarase. To se događalo s vremena na vreme. Konji bogatih ljudi iz otmenih četvrti.

– Možete biti spokojni... gospoda iz klanice ne zalaze u moju kafanu. Oni će doručkovati nešto dalje u ulici.

I nekim neodređenim pokretom pokazivao je na ulicu Bransion, kuda se zaputila povorka konja.

Od tada sam zaobilazila tu ulicu. Istoga jutra sam se zarekla da neću ostati u ovom kvartu. Ali gde da pođem? Nisam imala dovoljno novca da iznajmim drugu sobu. A nisam želela ni da se vratim u London. Bilo kako bilo, čak i da stanujem u nekoj drugoj četvrti daleko odavde, to ne bi ništa promenilo. Ne mogu izbrisati iz glave povorku konja koja prolazi u noći i skreće za ugao ulice, kao ni čoveka u čuvarskim pantalonama koji vuče za uzde crnog konja. Onog koji nije hteo da se pomeri s mesta i koji bi, bez sumnje, pobegao samo da je mogao.

*

Ponovo sam pokušala da uzmem metro. Već na Monparnasu nisam više imala snage da produžim. Odatle sam se pešice vratila do kafea na trgu Alre. Trebalo bi, ipak, da se raspitam da li se u blizini nalazi neka autobuska stanica za levu obalu. Ali puštala sam da dani prolaze, a da ništa nisam pokušala da saznam. Na kraju sam samoj sebi priznala da nisam u stanju da pređem veću razdaljinu. Ako se previše udaljim, plašila sam se da ću se polako prepustiti sivilu sve dok se sasvim ne utopim i ne zaboravim gde stanujem. U snovima sam, često, dugo hodala jednom ulicom – ulicom za koju sam se pitala da li se nalazi u Parizu ili u Londonu – i nisam znala put do kuće, pa čak ni da li je imam.

Pronašla sam jedan bioskop nedaleko od ateljea, bioskop *Versaj*, na samom početku ulice Vožirar. Najkraći put je vodio bulevarom Lefevr. Tako sam izbegavala da prođem pored klanice. Tamo sam odlazila skoro svako veče oko devet sati, ne mareći što gledam više puta jedan isti film. U fotelji u poslednjem redu, osećala sam se prijatno. Uspevala sam da zaboravim da se bioskop nalazi nedaleko od klanice. Zbog čega mi onaj Austrijanac u Londonu nije rekao da stanuje u takvom kvartu? Da sam to znala, ne verujem da bih prihvatila njegovu ponudu. Ali sada je i tako bilo prekasno.

Posle bioskopske predstave, vraćala sam se u atelje istim putem. Sa druge strane ulice, blokovi kuća sa prozorima u mraku, osim jednoga, na prvom spratu. Uvek je svetleo pošto je verovatno neko tamo čitao ili čekao posetu, neko sa kime bih mogla da razgovaram. Uplašila sam se samoće i što će me u toku noći probuditi topot kopita. Sa tog osvetljenog prozora morao se još određenije čuti topot i videti povorka konja. Godinama već, osoba koja tu stanuje, a i svi oni čiji prozori gledaju na bulevar, mogli su posmatrati, kao ja sada, prolazak konja u zoru. Volela bih da mi kažu kakva im to osećanja izaziva. Bilo je malo nas koji o tome nešto znamo, između miliona ljudi u ovom gradu.

Stigla sam do ugla ulice Bransion. Bila je pusta, mirna. U to vreme, kafei su još bili zatvoreni. Setila sam se svih pojedinosti koje mi je dao gazda *Okretnice*. „Koljači konja", kako ih je zvao, odlazili su na doručak preko puta klanice, tamo gde sam zapazila piljevinu natopljenu krvlju. Muškarci sa novčanicama bili su konjski trgovci ili kasapi. Samim „koljačima" nije bilo potrebno više od deset minuta da ubiju jednog konja. Ovi drugi su kupovali i prodavali konje svakog ponedeljka i četvrtka. Plaćali su uvek u gotovom i nisu držali novac samo u novčanicima nego ponekad i u kutijama od cipela, a dešavalo bi se, za ručkom, da svežnjeve novčanica obavijaju i stolnjacima, sve u mirisu zgrušane krvi na obući i keceljama. Konji nisu dolazili samo

sa Neija, već su ih dovodili i kamionima i vo-
zovima, a topot kopita koji se čuo izjutra poticao
je od onih koje su izvodili iz štala u kvartu. Štale
u kojima su konji čekali nalazile su se svuda u
okolini. Promet je počinjao oko četiri sata izju-
tra. I opet kamioni, vagoni, svežnjevi novčanica
koji idu iz ruke u ruku za kafanskim stolovima...
Čovek u tesnim belim pantalonama i kožnoj
jakni koji je vukao konja za uzde pojavio se tu
samo godinu dana ranije. Davali su mu nešto
novca za posao koji je obavljao. Niko nije znao
odakle je iskrsao. Možda je došao iz Kamarge.
Zvali su ga Stražar. Gazda *Okretnice* mi je sve
to ispričao blagim, gotovo plačnim glasom, koji
je tekao iz njegovih usta kao mlaz mlake vode.
Skoro se moglo pomisliti da je na mene potpu-
no zaboravio i da govori sam za sebe. Kada sam
ustala da pođem, nastavio je da priča i nabraja,
ali nisam više bila u stanju da slušam. Želela sam
da dišem, da napustim Pariz i odem na obalu
nekog plavog mora, kao Austrijanac koji mi je
dao ključ svog ateljea ne rekavši mi ništa.

Ostajala sam sve duže da čitam ili slušam
ploče. I mislila da nije slučajno što je moj samot-
ni boravak na periferiji Pariza pretrpeo neuspeh.
Stigla sam do same granice, tapkaću još neko
vreme na prelazu, ali ću ubrzo preći na drugu

stranu i započeti nov život. Sve te knjige, svi ti redovi u biblioteci, ukazivali su na odlazak. Biće da je i Austrijanac boravio ovde samo između dva avionska leta, da atelje nije za njega bio ništa drugo do svratište, pa nije stigao da sazna šta se dešava u toj četvrti... Uostalom, da nisam čula topot kopita u zoru, i meni bi ovaj atelje možda mogao postati utočište. U malom dvorištu, na stepenicama dvorišne kućice, ostalo je zaboravljeno žensko poprsje od pečene gline, kao i kamen koji je neko počeo da kleše. Nesumnjivo je tu stanovao neki vajar. U sredini dvorišta jedno drvo. U proleće, iz postelje, čovek je mogao posmatrati ljuljuškanje njegovog lišća iza velikih staklenih vrata.

Strpljivo sam čekala svako po podne da se odšetam do trga Alre. Bilo je to jedino doba dana kada sam osećala neku prijatnost, poput one u bioskopskoj sali u ulici Vožirar. Tamo, u kafeu, sve se ponavljalo precizno kao u nekoj časovničarskoj radnji. Buka elektronskog bilijara, muškarac u belom mantilu koji tačno u dva i trideset prolazi trgom do klinike, pas koji leže na trotoar ispred ulaza, zaustavljanje kamioneta, dolazak dvojice mladića za šank, od kojih mi se jedan uvek smeškao odlazeći. Bio je to dokaz da, tog trenutka, imam i ja svoje mesto među njima.

Svaki dan je jedan od one dvojice iz kamioneta puštao u džuboksu *Bleđe od bele senke*. Moglo se pomisliti da to čini zbog mene. U početku sam slušala rasejano. Muzika za raspoloženje, jedna od onih koje vas uljuljkuju i skoro da čine nežnom vašu samoću, ništa drugačija od zveckanja elektronskog bilijara. Slušajući je, sećala sam se jutara kada sam ustajala rano u zoru i prolazila kroz *Ladbrok Grov* da odem na posao kod *Barkersa*. Rad je tamo bio naporan, ali su se ta jutra, u mojim sećanjima, odvojila od ostatka dana. Ona su predstavljala predah i obećanje, čak i zimi kada je bilo mračno. A sa prvim prolećnim danima na stablima bi opet osvanuli beli i ružičasti cvetovi. Skoro da sam zaboravila *Barkers* i ono što je ostalo od dana. Ništa drugo sem onih jutara kada krećem niz *Ladbrok Grov* po mraku ili suncu, ali sa predosećanjem da me nešto novo čeka.

Muzika je napokon uspela da mi dozove ono popodne kada smo Rene i ja šetali sa psom. Samo nekoliko dana pred Reneov odlazak. Bila je subota, pijaca na Portobelu. Uzela sam slobodan dan. Bila sam na odsustvu, ali to nije ništa pomagalo. Rene se spremao da ode. Već sam se plašila svih onih dugih i praznih dana koje treba da preživim u Reneovom odsustvu. Sunčan subotnji dan. Na početku *Portobelo rouda*, kod stare škole, jedan visoki čovek sa fotografskim aparatom stajao je nasred ulice. Ulični fotograf. U tom času nije bilo mnogo sveta i on nas je primetio. Napravio je jedan naš snimak sa psom. Potom mi je pružio papirić sa nekim brojem koji je trebalo da sledeće sedmice odnesem u studio za koji radi ukoliko želim da vidim fotografiju.

Sledeće sedmice Renea više nije bilo. U petak predveče, odlučila sam da odem i potražim fotografiju. Studio je bio daleko, na *Hamersmitu*. Pošla sam metroom. Da ne bih izgubila papirić, stavila sam ga u koverat. To je bila moja jedina fotografija sa Reneom. Ima ljudi koji će vam pokazati u albumu snimke svakog svog trenutka u životu. Imaju sreće da im je foto-aparat uvek nadohvat ruke da posluži kao svedok. Rene i ja se nismo nikada setili toga. Zadovoljavali smo se životom od danas do sutra.

Od stanice metroa trebalo je da hodam prilično dugo kroz *King strit* pre nego što stignem do studija. Plašila sam se da će biti zatvoren. Ali nije bio. Mnogobrojne mušterije su se smenjivale jedna za drugom pored tezge iza koje su stajala dva tamnokosa muškarca i izdavala fotografije ili primala filmove na razvijanje. Došao je red na mene. Pružila sam ceduljicu jednom od dvojice.

On je bacio jedan rasejan pogled. Zadržavši potom papir u ruci, nastavio da se bavi drugima. Zapitala sam ga da li bih mogla da dobijem svoju fotografiju. Oštro mi je odbrusio:

– Ne bavim se tim fotografijama. Morate sačekati.

Ostala sam da stojim tamo dok su drugi ulazili u radnju, prilazili tezgi i dobijali svoje fotografije u zamenu za potvrdu. Crnomanjasti nije više držao moj papirić u ruci. Mogla sam da na nekom od sedišta u dnu radnje čekam do zatvaranja. Ali bilo je pametnije ostati u blizini pulta pošto bi inače mogli da zaborave na mene u navali mušterija koje ulaze i izlaze. Ponovo sam se obratila crnomanjastom pokušavajući da privučem njegovu pažnju, ali se on pretvarao da me ne primećuje i izbegavao moj pogled. Pitala sam se gde li je mogao da ostavi moju ceduljicu. Prisilila sam sebe da budem što je moguće bliže čoveku iza tezge i da ga ne ispuštam iz vida. On je bio tridesetogodišnjak prezrivog izgleda. Još hladnijim i nadmenijim tonom mi je ponovio: „Ne bavim se tim fotografijama." Iskoristivši momenat kada više nije bilo nikoga, približila sam se tezgi. Ponovo sam ga upitala da li bih mogla da dobijem svoju fotografiju. Nemarnim pokretom, izvadio je moju potvrdu iz džepa sakoa. Da mu nisam ništa rekla, on bi je sigurno tamo i zaboravio, a kasnije iscepao. Bacio je još jedan rasejan pogled na broj na papiriću. Potom se okrenuo da potraži u ormanu sa fiokama gde su se nalazile gusto zbijene koverte. Okretao ih je bezvoljnim pokretima jednu po jednu i ubrzo stigao do kraja reda. Radio je to previše brzo. Učinilo mi se da i ne gleda brojeve ispisane na kovertama. Zatim se okrenuo prema meni:

– Nemam ništa sa ovim brojem.

Vratio mi je papirić sa ledenim osmehom. Upitala sam ga da li je siguran u to i da li bi ipak mogao da proveri.

– Ne, ne. Nemam ništa sa tim brojem.

Ali ja sam bila uverena da je fotografija tamo, u jednoj od onih koverti. Smogla sam hrabrosti još da zapitam:

– Da li bih ja mogla da proverim?

– Ponovo vam kažem da nemam ništa sa ovim brojem.

Glas je bio neljubazan, a pogled toliko hladan da je izgledalo da me uopšte ne vidi. Bila sam, bez sumnje, i nedostojna njegovog pogleda. Shvatila sam da nemam čemu da se nadam.

Na ulici sam pogledala još jednom svoj papirić. Nosio je broj 0032. U neko normalno vreme ne bih obratila nikakvu pažnju na to što

129

mi se dogodilo. Pa ni na glas tog tipa koji je sada odzvanjao u mojoj glavi kao smrtna presuda. Da je Rene bio sa mnom, uspeli bismo da izvučemo tu fotografiju. I onaj tip bi odmah promenio ton. Naglo sam poželela da se vratim u radnju i da mu kažem: „Moj mladić će vam razbiti nos ako mi odmah ne date fotografiju", ali nalet besa se brzo stišao, čak mi je postao i besmislen. Rene nije više bio tu. Bilo je vrlo malo nade da ću ga ikada ponovo videti. Svi trenuci koje smo proveli zajedno otišli su u ništavilo. A sada, neko je hteo da uništi i poslednji trag postojanja Renea i mene sa psom, tu jedinu sliku na kojoj smo zajedno.

Produžila sam dalje *King stritom*. Nisam više bila ni u šta sigurna, trotoar se izvlačio pod mojim nogama i uvijao kao da sam prelazila preko palube nekog broda na nemirnom moru. Da, taj crnokosi čovek metalnog glasa i prezrivog pogleda bacio je preko ograde broda i Renea, i mene, i psa. Sanjala sam o tome narednih noći i budila se tako naglo da mi je trebalo vremena da povratim dah i shvatim da nisam pala na dno. Ponovo mi se ukazao lik tog čoveka za tezgom. Zbog čega se ne bih vratila u studio i mirno mu objasnila da mi je fotografija potrebna, te da sam spremna platiti mu trostruko veću cenu samo da mi je dâ? Na kraju sam zaključila da to ničemu ne vodi. Moj prvi utisak je sigurno bio tačan: taj tip ne voli žene. To sam pogodila po njegovom pogledu, po metalnom tonu njegovog glasa, po nečemu pretećem oko njegovih usta. Rene mi je pričao o toj vrsti muškaraca za koje žene ne postoje. Ne vode ljubav sa ženama. Međutim, nemaju smelosti da to čine sa muškarcima. Zbog čega? Rene mi je objasnio da tako ostaju čedni. Zbog njih izbijaju ratovi: ako je verovati Reneu, i Hitler je bio takav. I Robespjer. Želeo je da napiše knjigu o njima. Bio je prikupio dokumenta i fotografije. Na njima su se videli tipovi otvrdlih lica kao isklesanih u kamenu, koje je Rene nazivao „vojnici monasi". Jedni plavokosi, zategnutih tela, koji su marširali goli do pojasa u stisnutim redovima, drugi dežmekasti, ćosavi i obrijanih glava. Na jednoj od fotografija, razbijali su izloge na radnjama, a zatim primoravali ljude da skupljaju krhotine stakla i čiste trotoare. Njihov šef je nosio kratke tirolske kožne pantalone, iako je bio muškarac zrele dobi, trbušast, lica mlitava i stroga. Smeškao se gledajući nesrećnike na kolenima kako peru trotoare. Rene mi je objasnio da je i debeljko bio nevin. On će doživeti i duboku starost mirišući na kožu i hladan pepeo, a da nikada neće upoznati ljubav.

Pitala sam se šta će onaj tamnokosi učiniti sa našom fotografijom. Na kraju će je iscepati. Ili će je zaboraviti među mnoštvom onih koje niko nije potražio ili onih koje je odbio da uruči pod izgovorom da nema ništa sa tim brojem. U suštini, to možda i nije zloba već samo premor i ravnodušnost. Neprekidno na nogama za tezgom, obavljao je isto toliko jednoličan posao kao i ja kod *Barkersa*. I tako se sve sručilo na mene. Došla sam u nezgodnom času. To se moglo sručiti i na nekog drugog, kao na lutriji, jer broj 0032 nije bio izvučen.

Napravila sam polukrug na *King stritu* i nastavila da hodam do stanice metroa, ali se trotoar još uvek uvijao pod mojim koracima. Od te večeri sve se promenilo. Naglo se načinila pukotina u mom životu, koji je pre toga bio ceo--celcat nepomućen nepoverenjem.

Postala sam svesna toga kada sam narednih dana prolazila onim delom *Portobelo rouda* na kome je fotograf slikao Renea i mene sa psom. Bila je subota kao sve druge i pas je kao i obično hodao između nas. Na fotografiji bi se mogao videti ulaz u nekadašnju školu, gde je Rene kupio nekoliko polovnih knjiga. U dnu, možda, silueta nekog prolaznika i raskrsnica odakle se ulica Šepstou Vilas spušta prema prodavnicama antikviteta. Trebalo je da to bude dokaz za budućnost da smo jedne letnje subote, u Londonu, u rano po podne, Rene i ja sa psom prolazili baš tom ulicom.

Prve subote kada sam ponovo došla na isto mesto, ali potpuno sama, bilo je mnogo više sveta. Fotografa nije bilo ni tada, ni svih onih subota kada sam pokušavala da ga pronađem, zatražim mu objašnjenje ili možda, uz njegovu pomoć, izvučem onu fotografiju. Od tada sam izgubila svako samopouzdanje. Činilo mi se da tu više nisam prisutna, da tu više nikada neću imati svoje mesto. Posmatrala sam sa zavišću druge ljude koji su hodali sigurnim korakom. Trotoar im se nije uvijao pod nogama. Kada smo se šetali, Reneu i meni su ulice i mali trgovi bili bliski kao da su deo nas samih. A sada kada se nit prekinula, postala sam suvišna kao da sam se na ta mesta vratila posmrtno. U prvo vreme nisam se usuđivala da izađem iz sobe. A onda, trotoari su prestali da se izmiču i da mi izazivaju vrtoglavicu. Toga leta nisam više osećala užas već, naprotiv, neko neznatno smirenje. Predveče sam išla u duge šetnje pustim avenijama u okolini *Holend parka*, kuda smo imali običaj da prolazimo. Ali Rene i pas su već pripadali nekom drugom životu. Uzalud sam navraćala u te avenije i na te trgove, uzalud se mešala subotom sa masom prolaznika na Portobelu, ništa od toga nisam mogla da oživim.

*

Od toga dana dolazila sam u kafe na trgu Alre oko jedanaest sati pre podne. Pravila sam dugačak zaokret da izbegnem ulicu u kojoj su klanice. U to doba dana, muškarci sa debelim novčanicima su još uvek doručkovali u svojim keceljama i cipelama isprskanim krvlju. Na trgu Alre, gosti nisu bili isti kao u popodnevnim satima. Pre uobičajenog vremena za ručak, u kafeu smo bili samo tridesetogodišnji muškarac koji je ispravljao zadatke i ja. Potom su pristizali i drugi. Bili su službenici u susednom preduzeću. Gazda ih je nazivao „društvo telefondžija". Nikada nije bilo dovoljno stolova za njih, trebalo im je napraviti mesta. Razgovarali su vrlo glasno. Ne sećam se da sam kod *Barkersa*, i u jednoj jedinoj prilici, obedovala sa svojim kolegama. Bila sam se sprijateljila samo sa plavokosom devojkom sa susednog odeljenja. Ponekad sam sa njom odlazila i u bioskop.

Jednoga jutra, pre nego što je „društvo telefondžija" preplavilo kafe, sedela sam za stolom blizu čoveka koji je ispravljao zadatke. On podiže glavu prema meni. Imao je lice pravilnih crta sa očima potpuno uvučenim u duplje i veoma kratkom kosom, koja je počela da se proređuje. Upitao je jesam li studentkinja. Otkako sam stigla u Pariz, niko mi se još nije istinski obratio. Njegov pogled i boja glasa su mi ulivali poverenje, pogled otvoren i dubok glas kao da nisu ostavljali mesta nepoštenju. Odgovorila sam da nisam studentkinja. On je, kaže, profesor filozofije u jednoj srednjoj školi u predgrađu Pariza. Tri puta nedeljno putuje autobusom od Kapije Vanv do te škole. Naveče se vraća vozom koji stiže na stanicu Monparnas. Ispričao mi je da su pismeni zadaci toliko loši da više voli da ih ispravlja u nekom kafeu nego sedeći sam kod kuće, ali se ne ljuti na svoje učenike. Šta se tu može! A ja, jesam li završila školu?

Bila sam toliko sama poslednjih sedmica da sam osetila potrebu da porazgovaram, mada ne i da se poveravam. A čovek je, izgleda, slušao sve što mu se govori, možda zato što je profesor. Objasnila sam mu da sam došla iz Londona, da mi je jedan prijatelj ustupio sobu u blizini i da sam pomalo izgubljena u ovom kraju. Čudan neki kraj!

Slušao je posmatrajući me netremice kao da želi da snagom slušanja otkrije šta se tačno dešava u mojoj glavi. Bio je to pogled nekog sveštenika ili lekara.

– Izgleda da ste u pravu – odgovorio mi je on. – Ovo je čudan kraj...

Bacila sam pogled na jedan od zadataka ispred njega. Primetila sam mnogo rečenica podvučenih crvenom olovkom, a sa strane mnoštvo upitnika u istoj, crvenoj boji.

– Ja već vrlo dugo stanujem u ovoj četvrti... Živim u stanu svoje majke, na bulevaru Lefevr... u blizini crkve...

Vraćajući se iz bioskopa, prolazila sam pored nje. Bila je to moderna crkva, za koju, zbog pomrčine, nisam dobro utvrdila da je li od betona ili cigala. Soba čija su svetla bila neprekidno upaljena je možda njegova?

– To je crkva Svetog Antona Padovanskog. Ne može se zvati nikako drugačije.

I nastavio je da me netremice gleda, tako da sam ponovo morala da spustim pogled na tek ispravljene zadatke. Zamislila sam da na margini crvenim mastilom piše: „Crkva Svetog Antona Padovanskog ne može se nikako drugačije zvati.”

– Znate li za šta se ljudi mole Svetom Antonu? Da im pronađe izgubljene stvari!

Smeškao se kao da je razumeo da sam i ja nešto izgubila. Nikada nisam bila sujeverna, ali da sam znala čemu je posvećen Sveti Anton Padovanski ili da u Londonu postoji crkva sa njegovim imenom, sigurno bih otišla da mu se pomolim za onu fotografiju.

– Nedaleko odavde, u ulici Morijon, nalazi se Biro za nađene stvari... A malo dalje, šinteri u ulici Dancig... Ovo je kraj u koji ljudi dolaze isključivo da bi nešto tražili.

Dok mi je sve to objašnjavao, nije ličio na vodiča kroz Pariz već na pravog profesora filozofije. Njegov duboki glas ulivao mi je poverenje. Poželela sam da mu ispričam o konjima. Ali nisam uspela da progovorim. Plašila sam se i da ih pomenem.

– A osim toga, ima već sto godina otkako se ovde ljudi bave konjima...

I stalno taj mirni glas. I onaj osmeh kao da je baviti se konjima najprirodnija stvar na svetu.

– Kada sam bio mali, išao sam u obližnju školu. Kasnije sam primljen u licej Bifon. Nikada nisam odlazio iz kraja.

Ima već sto godina, rekao je. Onda bi to bile stotine i stotine hiljada konja koji su prošli bulevarom i ulicom Bransion.

– Stvarno ste prebledeli... Hoćete li da popijete nešto?

U tom času se ponašao tako blagonaklono kao da se i moj zadatak nalazi među ostalima na stolu i da na njemu piše crvenom olovkom: „Moglo je bolje."

Odgovorila sam mu da je sve u redu, samo da sam jako loše spavala prošle noći.

– Šta radite tokom čitavog dana?

Pod tim pogledom postajala sam ponovo mali đak koji, umesto na popodnevnu nastavu, odlazi u bioskop, a nema pismeno opravdanje od svojih roditelja. Zato sam morala smisliti neku laž i pokušati da je kažem što odlučnijim glasom:

– Zabrinuta sam zato što tražim posao.

– Ja bih mogao da vam ga nađem. Znate li da kucate na mašini?

Pre nego što sam otišla u London i zaposlila se kod *Barkersa*, učila sam kucanje u Školi za daktilografiju „Pižije", nedaleko od Vensanske kapije, dok sam tamo stanovala sa majkom. Odgovorila sam mu kako znam da kucam i kako čak poznajem i stenografiju.

– Dobro, onda ću vam doneti tekstove. Mi smo mala družina koja zajedno piše.

I smeškao se kao sveštenik kome sam se upravo ispovedila, pa on sada nezlobivo prosuđuje moja sagrešenja.

– Možda bi vas ti tekstovi mogli zanimati. Mi stvaramo u grupi, što je jedna vrsta obrazovnog rada... Biću srećan ako vas to zainteresuje... Posudiću vam svoju pisaću mašinu...

Mogućnost da imam neko zaduženje i više ne provodim besciljno dane neočekivano me je ohrabrila. Kucaću na mašini, sama i mirna u ateljeu, među knjigama. A kucajući mogu da slušam i muziku. Sešću pored velikog prozora koji gleda na baštu.

– Evo jedne brošure čiji sam autor. Tako ćete dobiti uvid u čemu se sastoji naš obrazovni rad i šta ćete kucati.

Počeo je da pretura po smeđoj kožnoj torbi koju je spustio pokraj svoje stolice. Potom je izvadio knjižicu na čijem je omotu svetle boje pisalo: *Osvestite sebe.* A iznad naslova: *Mišel Keruredan.* I pokazujući na ime, reče:

– Da... To sam ja...

Predložio je da ga otpratim do autobuske stanice na Kapiji Vanv. Toga dana su njegova predavanja počinjala rano po podne i trebalo je da ruča u školskoj trpezariji. Dok je išao sa torbom u ruci pored mene, čudilo me je koliko je mršav i visok i kakav su kontrast činile njegove pletene sandale „spartanke", koje je nosio sa crnim čarapama, naspram njegovog preozbiljnog odela. Dogovorili smo se da se nađemo sutra u jedanaest sati, u kafeu. On će mi doneti pisaću mašinu i tekst za prekucavanje.

139

*

Kad sam se vratila u atelje, poželela sam da pročitam brošuru koju mi je dao. Između stranica, naletela sam na jednu fotografiju. Prepoznala sam njega, na selu, u društvu jednog isto tako visokog i mršavog čoveka. Stajali su jedan pored drugog, Mišel lagano naslonjen na jedno drvo. Drugi muškarac je držao otvorenu knjigu i činilo se kao da čita naglas. Obojica su imala visoka čela i stroga lica. Na poleđini fotografije je pisalo: *Mišel – Đani. April–maj, u Rekulonžu.* Osetila sam kako u meni rastu neka ljutnja i tuga. Zbog čega sam u toj knjizi pronašla fotografiju dva muškarca koja ne poznajem, a jedinu, meni važnu, izgubila zauvek?

Nakon nekoliko stranica, prekinula sam čitanje. Nikada do tada nisam otvorila neku knjigu iz filozofije i imala sam muke da zadržim pažnju. Na osnovu onoga što mi se činilo da razumem, posredi je učenje koje vam omogućuje da steknete mudrost. Učitelj je bio izvesni doktor Bod. U stvari, na početku poglavljâ, često su se javljale otprilike ovakve rečenice: „Ako upitate doktora Boda kakav je smisao njegovog učenja... Na jednom od sledećih sastanaka, doktor Bod se vratio na pitanje... Doktor Bod je imao naviku da uzima kao primer...” Da li je Mišel Keruredan zaista lično poznavao doktora Boda? Na onih nekoliko stranica koje sam pročitala, nije o tome govorio na jasan način. U svakom slučaju, po mišljenju Mišela Keruredana, istina i mudrost teku iz usta tog čoveka i neophodno je slediti njegovo učenje. Takav stav me je veoma začudio i setila sam se kako ni u osnovnoj školi, pa ni kasnije u liceju Elen Buše, nisam nikada pridavala pažnju onome što su govorili moji profesori. Kao dete uvek bih zaspala na časovima veronauke. Na svoju veliku sramotu, primetila sam da sebi nikada nisam postavila pitanje o smislu života. Zadovoljavala sam se životom od danas do sutra tražeći najčešće samo zadovoljstva. Još davno, u detinjstvu, zadovoljstvo mi je bilo da imam sto franaka, da u pekari *Nedelek* kupim sladoled od pistacije ili da se na vašaru popnem na najveću vrtešku zato što sam volela da mi se vrti u glavi. Kasnije, kad sam bila sa Reneom, odlazila sam na plažu oko jedanaest sati pre podne, a posle podne sam ostajala sa njim u zamračenoj sobi sa spuštenim roletnama. Volela sam, takođe, da u rana letnja jutra sedim na suncu u bašti nekog kafea koji je još uvek prazan. Volela sam da čitam krimi-romane i slušam muziku. Osećala sam nežnost prema psima i konjima. Ne, do Reneovog odlaska i one gadne priče sa fotografijom, nisam sebi postavljala mnogo pitanja. Sklopila sam knjigu. Fotografija je sletela na krevet i ja sam je ponovo pogledala. Taj Keruredan je govorio kao profesor. S pažnjom me je slušao, ali šta se nalazi u dubini moje duše, verovatno ga nije mnogo zanimalo. Sve u svemu, počeo bi zaista da se interesuje za mene ukoliko prihvatim ono što je nazivao „učenje". Pokušala sam da vidim da li i onaj drugi nosi „spartanke". Prosto je začuđujuće koliko su slični! Taj tip, koji se zvao Đani, svakako je tek učio. Na fotografiji, obojica su izgledala kao propovednici, ali mi se ipak učinilo da su se nameštali za slikanje pošto je Keruredan, isturene brade, bio naslonjen na drvo, a onaj drugi, prav kao strela, nadnosio se nad knjigu. Možda je to bila ista knjiga kao i moja, *Osvestite sebe*. Pitala sam se da li u njihovim životima postoje i žene ili svaki od njih stanuje u sobici nalik na monašku ćeliju, te da li prijateljstvo može da zameni sve ostalo. Je li njihovo učenje ostavljalo prostora za ljubav? Prelistala sam knjižicu *Osvestite sebe* a da u njoj nisam pronašla reči „ljubav" i „sreća". Obećala sam sebi da ću je kasnije pažljivije pogledati, međutim, tokom popodneva nisam za tim imala volje.

*

Sutradan je u kafe stigao sa zakašnjenjem, samo nekoliko časaka pre nego što je „društvo telefondžija" zauzelo sve stolove. Bili smo primorani da govorimo vrlo glasno da bismo se mogli čuti usred buke. Doneo mi je i pisaću mašinu, jednu malu, prenosivu mašinu u sivoj plastičnoj navlaci. A tekst od tridesetak stranica, ispisanih vrlo pravilnim rukopisom, plavim mastilom bez i jedne jedine prepravke, nosio je naslov: *Rad na sebi.*

Upitao je da li sam pročitala brošuru. Odgovorila sam mu da je još nisam završila, ali da mi izgleda vrlo zanimljiva. On je netremice prodorno gledao u mene i očekivao da mu još nešto kažem. Promucala sam da sporo čitam jer nastojim da razumem svaku rečenicu zato što nemam naviku da čitam filozofiju.

– Nije reč o filozofiji – rekao mi je – već o metodu koji poučava kako se može živeti bolje... Nekoliko disciplinskih pravila... ako im posvetite malo pažnje, videćete da je sve jasno...

Možda bi me na kraju i ubedio. Od dolaska u Pariz živela sam u takvoj neizvesnosti da sam bila veoma raspoložena za savete koji bi mi ukazali put koji treba da sledim. Da li taj čovek što sedi naspram mene u kafeu, u kome smo se jedva mogli čuti, može stvarno da mi pritekne u pomoć? Da li je meni zaista bila potrebna disciplina? I u čemu se, zapravo, sastojao taj „rad na sebi"?

Nosila sam u ruci pisaću mašinu, a u džepu svoga kišnog mantila presavijen tekst koji mi je dao. On je svoju braon torbu na kojoj nije više bilo drške nosio ispod ruke. Išli smo mirnom i tihom ulicom Kastanjari. Bila je oivičena niskim kućama, onima koje će nesumnjivo uskoro biti srušene, pa se moglo poverovati da se nalazimo u nekom malom gradu sa vojnim garnizonom u kome se izjutra razleže topot kopita, ali od konja koji ne idu u klanicu.

– Kucajte tekst bez žurbe – rekao mi je. – Najvažnije je da vas kucanje zbliži sa našim učenjem.

I ponovo mi se osmehnuo.

– Ali ne bih želeo da radite besplatno...

Iz unutrašnjeg džepa sakoa izvadio je novčanik, koji nije bio onako debeo kao novčanici trgovaca konjima iz ulice Bransion, i pružio mi, presavijenu na četiri dela, novčanicu od sto franaka. Oklevala sam da je uzmem.

– Nije to moj novac – kazao mi je – to mi je dala za vas prijateljica kod koje se sastajemo. Pričao sam joj o vama.

Na kraju krajeva, zbog čega bi trebalo da imam obzira i ne primim taj novac?

– Kada budete završili posao, mislim da će biti korisno za vas da prisustvujete jednom od naših okupljanja.

Ona su se održavala najmanje jednom nedeljno, u stanu žene o kojoj mi je govorio. Bilo ih je šest-sedam na seansi „rada na sebi", o čemu je upravo govorio tekst koji sam dobila da otkucam.

– Da li biste voleli da radite sa nama?

Njegov glas je bio tako prijatan da je davao utisak da mi taj čovek stvarno želi dobro. Izvadio je iz džepa paklicu cigareta i pružio mi je. Paklo plavog *goloaza*.

– Uzmite. Da vam ulije snage.

Nisam se usudila da odbijem i da mu objašnjavam kako ne pušim.

– Pa onda, da li biste nam se pridružili?

Upitao je to prisno, mada pomalo odsečno, ali više ne tonom sveštenika, već nekako poput učitelja gimnastike.

Odgovorila sam mu potvrdno. Da ne bi ostao usamljen, čovek je nekad spreman da prihvati bilo šta.

– Stvarno sam veoma srećan! Pričaću vam o svemu opširnije sledeći put.

Trebalo je da požuri na svoj autobus na Kapiji Vanv. Zakazao mi je sastanak u kafeu za prekosutra u uobičajeno vreme. Smestivši se u autobusu, mahnuo mi je rukom. Primetila sam da više ne nosi spartanke već crne cipele na pertlanje.

*

Sledeća tri dana provela sam kucajući tekst na mašini. Radila sam malo ujutro i malo po podne, nikad posle pet sati. Nisam ništa zaboravila od onoga što su me naučili u školi „Pižije". U početku sam puštala muziku – neki snimak havajskih gitara koji sam otkrila među Austrijančevim pločama. Ali ubrzo sam odlučila da radim u tišini kako bih razumela ono što kucam. Neke rečenice koje sam već pročitala u brošuri *Osvestite sebe*, a da na njih nisam obratila veliku pažnju, ponovo sam pronašla u *Radu na sebi*. Keruredan mi je objasnio da je u radu na ovom poslednjem tekstu učestvovalo više njih – bio je to grupni rad, kako mi je objasnio. Taj pravilni rukopis ispisan plavim mastilom, koji sam već uočila, bio je njegov, njim je ispravljao zadatke svojih učenika. Lagano sam kucala, a iste reči ponavljale su se od strane do strane. Mi živimo, kako izgleda, poput mesečara. Sve naše svakodnevne radnje su mehaničke i zbog toga nemaju nikakvu vrednost. „Naš život je spavanje." To što su naši pokreti, misli i osećanja postali mehanički znači da se zadovoljavamo malim brojem stavova koje nam dopuštaju naši okovi. Treba se, dakle, osloboditi tog stanja, a to nije moguće bez „osvešćivanja sebe". Ništa nije pomagalo – ni to što sam prestajala da kucam da bih ponovo pročitala svaku rečenicu – i dalje nisam razumevala u čemu se sastoje vežbe. „Osvešćivanje sebe", koje su nazivali i „rad na sebi" ili samo „rad", nesumnjivo su uvežbavali na svojim sastancima. Uspeću da doznam nešto više tek kada me Keruredan povede na jedan od njih.

Posle prvog radnog dana, zaputila sam se, oko pet sati, ulicom Vožirar, a strepnja koju sam obično osećala svakog dana u to vreme potpuno je nestala. Uzela sam metro na stanici Konvansion i stigla do Monparnasa potpuno smirena. Potom sam se odšetala do Latinskog kvarta. Ponovo sam srela studente u grupama na trotoarima bulevara Sen Mišel, čiji mi se uspon najednom učinio lako savladiv. Ponovo sam bila ona stara, kao prvih popodneva u Parizu, pre nego što sam shvatila šta predstavlja onaj topot kopita. Ohrabrila sam se kada su se, u sumrak, upalila svetla u kafeu *Klini* i malim bioskopima.

U ulici Mesje-l-Prins primetila sam knjižaru koja se zvala *Zodijak* i na čijem je izlogu stajalo: *Okultizam, magija, ezoterija – istorija religijâ.* Ušla sam. Knjige su bile poređane po imenima autora, abecednim redom. Kod slova K, naletela sam na brošuru koju mi je dao Keruredan, *Osvestite sebe.* Ovo otkriće me je iznenadilo i izazvalo lagani osećaj treperenja. Ukratko, dobila sam posao koji ispunjava prazninu mojih popodneva i daje utisak da učestvujem u nečemu važnom.

*

Kada sam u deset ujutru stigla ne trg Alre, on je već sedeo za jednim stolom i ispravljao zadatke. Ustao je da me pozdravi. Osmehivao se. Usput sam kupila velik koverat, u koji sam stavila zajedno prekucan tekst i stranice pisane plavim mastilom. On je brzo preleteo pogledom kucane strane, jednu za drugom, a potom ih spakovao u svoju torbu.

– Da li vam je bilo mnogo teško da prekucate?

Odgovorila sam da nije. I da se nadam da neće biti pravopisnih grešaka. Više zadataka ispravljenih crvenim mastilom bilo je razbacano po stolu i ja sam se pitala da li je i za te ispravke koristio iste one reči koje su se bez prestanka ponavljale u tekstu koji sam kucala. Svest o sebi, uspavanost, mehanički, grupa, mesečari, držanje, rad, pokreti... Na kraju su sve te reči počele da mi stvaraju vrtoglavicu.

– Da li ste uspeli da malo proniknete u smisao našeg rada?

Rekao mi je to sa mešavinom nadmenosti i ljubaznosti, kao da još uvek nisam bila sasvim dostojna da „radim" u njihovoj „grupi". Trebalo je da pokažem mnogo više pažnje i poslušnosti pre nego što se tome ponadam.

Gledao me je pravo u oči ćuteći. Da me je neki drugi muškarac gledao tako netremice, svakako da bi mi postalo neprijatno. Ali gospodin Keruredan nije bio od onih koji vam stežu ruku pokušavajući da vas poljube. Da li je ikada bio zaljubljen u neku ženu?

– Da li biste mogli da dođete prekosutra na naš sastanak?

Iznenadila sam se što mi to predlaže tako brzo. Verovala sam da se stvari odvijaju lagano i da je „probni period" neophodan pre nego što pridošlica dobije dozvolu da učestvuje u „grupnom radu". Tako je bar pisalo u tekstu koji mi je dao. „Probni period." Taj izraz se često ponavljao.

– Sastajemo se u našoj četvrti, nedaleko odavde, kod žene o kojoj sam vam pričao. Ona rukovodi našom radnom grupom. Jedna prijateljica doktora Boda...

Ime doktora Boda se takođe često ponavljalo, gotovo u svakom pasusu teksta. On je imao običaj da govori svojim sledbenicima: „Vi stalno gubite iz vida... Trebalo bi da steknete svest o samima sebi... Trebalo bi da se razbudite...” Što sam duže kucala, to mi se više činilo da čujem njegov glas, vrlo prigušen glas. Pokušala sam i da ga zamislim. Po mom mišljenju, bio je to čovek svetlih očiju čije su ruke milovale i umirivale našu strepnju. Nisam se usuđivala da to kažem Keruredanu bojeći se da ga ne uvredim, ali ja sam sentimentalna, pa čak i ono što se naziva izrazom koji sam uvek smatrala ljupkim: filigranska duša.

– A vi – upitala sam ga – poznajete li vi doktora Boda?

– Jednom me je, početkom godine, upoznala sa njim baš ona žena kod koje ću vas odvesti, Ženevjev Pero...

Otkrio mi je još neke pojedinosti. Doktor Bod je nekada živeo u Parizu. Trenutno mnogo putuje. Nastanio se u San Dijegu, u Kaliforniji. Međutim, često dolazi u Evropu da bi nadgledao rad grupa. U Parizu, u Švajcarskoj, u Engleskoj. Nastavio je da zuri u mene kao da okleva da mi saopšti još nešto važno. Potom se odlučio:

– Sledećeg meseca će biti održan sastanak sa doktorom Bodom... opet kod Ženevjev... Ona će možda prihvatiti da vas predstavi... Sve zavisi...

Želeo je bez sumnje da mi stavi do znanja da doktora Boda niko ne može upoznati odmah. Bila sam na probi. Na sutrašnjem sastanku odlučiće o mojoj sudbini. Možda ću morati da položim i neki ispit.

Pokupio je zadatke i složio ih u torbu. Iz nje je izvadio jedan koverat.

– Ovo je za vas... od Ženevjev Pero.

Bila je to suma novca koju mi je Ženevjev Pero isplaćivala unapred za druge daktilografske poslove koje će mi redovno davati. Dva-tri teksta mesečno. Oni će im biti potrebni za sastanke. To je značilo da su me već smatrali članom grupe. Pred Ženevjev Pero je pričao lepo o meni, pa je spremna da mi ukaže poverenje. Postalo je uobičajeno da se svakog meseca dodeljuje određen novčani iznos onim članovima grupe koji nemaju sredstava za život, tako da mogu puno radno vreme posvetiti pripremama za sastanke.

Odgovorila sam mu da mi je vrlo nezgodno da primim taj novac, ali mu nisam otkrila sve do kraja: onih šest stotina franaka koje sam svakog meseca zarađivala kod *Barkersa* jasno mi je pokazalo da se novac nikada ne daje tek tako. Da li će i Ženevjev Pero postati isto onako zahtevna kao gazdarice *Barkersa*?

– Trebalo bi da prihvatite. To je dokaz poverenja koje vam ukazuje Ženevjev.

Posle toga, stavila sam koverat u džep sa osećanjem olakšanja. Pa ako već žele da me izdržavaju... Bila sam toliko usamljena poslednjih meseci u Parizu, kao u Londonu nakon Reneovog odlaska... a i mogućnost da kucam na mašini za tu Ženevjev Pero činila mi se manje iscrpljujuća od posla u *Barkersu*.

– Doneo sam vam i jednu knjigu doktora Boda... Čitate li engleski?

– Čitam.

I pružio mi je knjigu tvrdih korica sa crnim omotom na kome sam pročitala: V. Bod, *In Search of Light and Shadow*. Na poleđini se nalazila fotografija čoveka od četrdesetak godina, smeđeg, svetlih očiju, baš onakvog kakvim sam ga zamišljala.

– Ovo se čita mnogo lakše nego dva teksta koja ste imali u rukama... To je knjiga koju je trebalo prvu da vam dam... Doktor Bod ovde doslovno opisuje svoj životni put...

Osmehivao mi se. Prvi put otkako sam u Parizu, osetila sam stvarno olakšanje. Bilo je dovoljno pustiti se niz vodu. I uveriti sebe da sam naišla na ljude koji mi žele dobro i kojima mogu da se poverim. Oni će me posavetovati. Neću više, usamljena, crkavati od straha u svom ćošku, niti se kolebati na raskršćima. Oni će me umiriti. Pokazati mi put. To je ono što mi je potrebno. Da me neko vodi.

Predložio mi je da ga otpratim do kuće. Toga dana nije putovao autobusom na nastavu filozofije. Ali je morao da ispravlja zadatke. Zamenjivao je jednog odsutnog profesora. Rekao mi je da radi u stvarno čudnoj školi, u kojoj se događa da neki profesor nestane od danas do sutra. A onda ga ostali zamenjuju deleći međusobno časove matematike u jednom odeljenju, a engleskog ili geografije u drugom. Nastavnici često nemaju neophodne diplome, ali se u takvim školama i ne zahteva previše. Ni on sam nije našao vremena da diplomira. Otkrio je učenje doktora Boda, a to je vredelo kao sve diplome filozofije na svetu.

Ispričao mi je to poverljivim tonom. Možda je počeo da me smatra prijateljicom i sebi ravnom zato što je trebalo da uskoro prisustvujem jednom od njihovih sastanaka.

– Ženevjev mi je savetovala da napustim nastavu u školi i da se potpuno posvetim grupi...

Ali on, zbog obzira, nije mogao napustiti svoje profesorsko mesto. Imao je prilično dobru platu, tako da je bilo korisnije da grupa plaća izdržavanje mladima kao što sam ja.

Hodali smo bulevarom Lefevr laganim korakom, kao da se šetamo obalom mora.

– A vi? – zapitao me je. – Koje su vaše nedoumice?

Bilo je to prvi put da mi postavlja neko pitanje lične prirode. Ali ja nisam bila od onih koji vole da se poveravaju.

– Ja nemam nedoumica – odgovorila sam mu.

– To je dobro. Takav odgovor bi se dopao doktoru Bodu.

Stigli smo do crkve Svetog Antona Padovanskog. Pokazao mi je rukom na blok kuća uokolo.

– Evo, ovde stanujem... na prvom spratu...

Da li je to bio prozor koji sam, vraćajući se iz bioskopa, viđala osvetljen?

Pred ulazom u zgradu, spustio je svoju braon torbu da bi mi pružio ruku.

– Najbolje je – reče mi on – da sačekate sutra u sedam i deset uveče na stanici Monparnas moj voz iz Versaja, pa ćemo zajedno otići kod Ženevjev Pero. Zapamtite! Sedam i deset.

Isto po podne, u ateljeu, počela sam da čitam *In Search of Light and Shadow*. Uplašila sam se da će me čitanje na engleskom podsetiti na London i Renea. Ali kako sam dalje odmicala, prepuštala sam se sve više nekom laganom ushićenju, kao da su me reči doktora Boda uverile da sam u stanju da živim u sadašnjici, pa čak i da se nadam budućnosti.

To je bilo neuporedivo bolje napisano nego brošura Mišela Keruredana ili tekst koji sam kucala. U svojoj knjizi doktor Bod nije koristio one učene izraze kao ni definiciju koja se, takođe, ponavljala u oba napisa i koju bih svaki put prekucala bez ikakvog razumevanja: *muzički ključ*. On je jednostavno pripovedao o sumnjama i strahovima svoje mladosti koji su bili istovetni mojima. I o načinu na koji je uspeo da ih premosti. Nisam imala utisak da čitam, već da slušam jedan prisan glas koji mi šapuće na uho. Doktor Bod je rođen u Lambetu, siromašnom predgrađu Londona koje nisam upoznala, ne računajući onih nekoliko ulica koje sam videla iz voza, pre nego što je stigao na stanicu Vaterlo.

*

Tačno u sedam sati uveče, pobojala sam se da će se Mišel Keruredan utopiti u talasu putnika koji su silazili sa voza iz Versaja. Ali, napokon, ipak sam uspela da ga prepoznam izdaleka zahvaljujući njegovoj visini i osobitom načinu na koji je držao svoju veliku braon torbu bez drške, kao da nosi dete ili psa.

Ušli smo u metro. Stajali smo čvrsto stisnuti jedni uz druge, ali ovoga puta nisam osetila ni trag panike. Neko je bio uz mene, a knjiga doktora Boda, koju sam završila kasno prethodne noći, donela mi je veliko smirenje. Sišli smo na stanici Konvansion. Keruredan mi je rekao da Ženevjev Pero stanuje u blizini, na početku ulice Dombal.

Nakon prvog puta, često sam dolazila kod Ženevjev Pero praveći sve komplikovanije i komplikovanije zaokrete da izbegnem klanice i ulice u kojima sam se bojala da ću naleteti na štale trgovaca konjima. Sećam se da sam često skraćivala put kod bioskopa *Versaj* koristeći stazu oivičenu stablima čije su grane stvarale lisnati svod čitavom dužinom zida bolnice Vožirar. Zadržala sam u sećanju tu stazu koja je mirisala na lipu. Sve do sada nisam imala prilike da ponovo dođem u taj kraj. Klanica tu više nema. Verovatno su još uvek ostali šinteri, Biro za nađene stvari i crkva Svetog Antona Padovanskog. A sada mislim da je to ujedno i jedini kraj Pariza gde biste mogli sresti Ženevjev Pero i doktora Boda.

Zgrada je nosila brojeve 5 i 7. Bila je to svetla i uzana kuća sa jednim potpornim zidom, odvojena od ulice malim dvorištem sa metalnom ogradom. Ušli smo u ulaz desno sa brojem 7. Keruredan se penjao ispred mene stepeništem, stežući obema rukama svoju braon torbu. Kako je prošlo dosta vremena otkad smo krenuli, ne sećam se više sprata. Jedan od poslednjih. Keruredan je pozvonio tri puta.

Ženevjev Pero je došla da nam otvori. Crnka, kose vezane u punđu. Njeno lice mi se najpre učinilo strogo zbog polumraka u predsoblju. Pošli smo hodnikom na čijem smo kraju, levo, ušli u sobu osvetljenu visokim lampama. Toplo, prigušeno svetlo. Zavese su bile navučene. Jedan čovek je ustao. Prepoznala sam, po visokom rastu, onoga koji se slikao sa Mišelom Keruredanom u Rekulonžu. Na časak se ukipio, zauzevši gotovo isti položaj koji je imao na fotografiji sa knjigom u ruci. Nakon toga je mahnuo Mišelu Keruredanu i okrenuo se prema meni:

– Zovem se Đani... drago mi je što smo se upoznali...

Imao je tiši glas nego Keruredan. Rukovala sam se sa njim, ali mu nisam kazala svoje ime. Gotovo je plivao u plavom somotskom odelu.

Ženevjev Pero mi se smeškala. Učinila mi se nešto mlađom nego u predsoblju, jer je sada njena stroga frizura činila kontrast sa blagim crtama lica. Njen nežni, tajanstveni osmeh milovao me je kao i pogled. Zelene oči. Nosila je tamnocrvenu košulja-haljinu. Nije nosila nakit. Ni prsten. Samo jedan lančić na ručnom zglobu.

– Mišel mi je govorio veoma lepo o vama... A ja bih želela da vam zahvalim za posao koji ste obavili za nas...

Govorila je vedrim glasom sa jedva primetnim pariskim naglaskom. Mišel Keruredan i Đani su seli skrštenih nogu na vuneni tepih.

– Sedite – rekla mi je ona sa osmehom.

I pokazala rukom na tepih. Uostalom, u sobi nije bilo ničega osim fotelje sa kožnim naslonom između dve navučene zavese i pisaćeg stola od tamnog drveta.

I ona je sela i prekrstila noge, držeći vrlo uspravno gornji deo tela. Tu, na tepihu, nas četvoro smo stvorili krug kao u nekoj igri čija pravila tek treba da otkrijem.

– A sada ćemo nešto pročitati – rekla je Ženevjev Pero svojim vedrim glasom – nešto lako i lepo da proslavimo dolazak naše nove prijateljice.

Mišel Keruredan je otvorio braon torbu koju je držao uza se i izvadio iz nje nekoliko listova hartije. Pružio ih je Đaniju.

– Na tebe je red da čitaš – rekao je.

Đani je počeo da čita sporim glasom kao glumac klasičnog pozorišta ili tenor. Prepoznala sam odlomak iz knjige doktora Boda. U njemu je opisivao jedan san koji je usnio kada mu je bilo jedanaest godina. Sve do tada bio je kao sva druga deca u Lambetu, sa roditeljima kao što su i svi drugi. Utapao se u kuće boje cigle, u sivilo skladišta i barice na trotoarima. Pomenute noći sanjao je da nadleće njihovu četvrt u niskom letu, tako da je mogao dobro da prepozna prolaznike, pse, kuće u kojima su stanovali njegovi drugovi, sva ona raskršća koja su mu bila znana. Bilo je to jedne nedelje ujutru, tako da je čak video i svoga oca naslonjenog na prozor. A svuda okolo, u drugim četvrtima Londona, lavirinti ulica, vreva ljudi i vozila u beskraj.

Đani je čitao sve sporije. Pravio je stanke između rečenica, pa je čitanje dobilo ritam poezije. Glas je postajao sve tiši te se na kraju pretvorio u romorenje koje me je uljuljkivalo. Ženevjev Pero, uspravnog držanja, posmatrala me je netremice svojim zelenim očima i obavijala tajanstvenim smeškom. Njene ruke su milovale vuneni tepih, tanane ruke, izduženih prstiju sa kratko podrezanim noktima. Keruredan je sedeo spuštene glave i prekrštenih ruku. Kada je Đani završio čitanje, zavladala je mukla tišina, kao da je ono dvoje želelo da što duže zadrži odjek glasa koji je čitao, a sa njim i glas doktora Boda.

– Kažite mi da li vam se nešto učinilo nejasno u tekstu koji ste kucali? – upitala me je Ženevjev Pero.

Njen glas je izražavao toliku brigu za mene da me je već samo pitanje postidelo. Morala sam po svaku cenu da joj dam neki odgovor. Promucala sam:

– Nisam dobro razumela šta znači „muzički ključ".

Ona dvojica su se okrenula prema meni i posmatrala me blagonaklono. Keruredan je preturajući po svojoj torbi izvadio tekst koji sam otkucala, možda da bi proverio šta se tamo podrazumeva pod izrazom „muzički ključ".

– To je vrlo jednostavno... objasniću vam...

Zelena boja očiju Ženevjev Pero me je omamljivala. Više je nisam slušala, zurila sam u pokrete njenih usana i ruku, koje su nesvesno milovale tepih. Do svesti mi je doprla samo reč koju je često izgovarala: „harmonija".

Zatim je zaćutala i ja sam potvrdno klimnula glavom.

– Eto... sad znate skoro sve o muzičkom ključu – reče mi Đani. – Imate li još nekih pitanja?

– Mislim da će biti dovoljno za večeras – reče Ženevjev Pero.

Ustala je gipkom kretnjom i napustila odaju. Ona dvojica su i dalje sedela skrštenih nogu. A ja se nisam usudila ni da mrdnem.

– Pa onda, da li ste zadovoljni našim prvim sastankom? – upitao je Keruredan.

Onaj drugi je prelistavao otkucane stranice.

– Vrlo dobro kucate – reče mi on. – Mislim da ćete postati sekretarica naših grupa.

– Mnogo više od sekretarice – odgovorio je Keruredan.

Zapalio je jedan *goloaz*. Čudilo me je što je bilo dozvoljeno pušenje na sastancima. Zamišljala sam da su mnogo stroži.

Ženevjev Pero se vratila u dnevnu sobu. Nosila je poslužavnik, koji je spustila na pod između nas. Svaku od četiri šolje napunila je samo do polovine. Bio je to čaj od nane, ali osobitog mirisa, meni nepoznatog, kao da je krišom još nešto dodala.

Pili su lagano, ne razgovarajući. Pogledala sam oko sebe. Levo od pisaćeg stola, police sa knjigama pokrivale su čitav zid. Knjige u starinskim povezima. Pored biblioteke, mali ležaj presvučen sivim plišem. Sijalica pod crvenim senilom, pričvršćena za jednu od polica sa knjigama, bacala je jaku svetlost na kauč. Pomislila sam da Ženevjev Pero verovatno tu čita ležeći. A možda i doktor Bod, kad je u Parizu.

Oni se digoše da pođu. Mišel Keruredan i Đani, svaki ponaosob, rukovaše se pomalo izveštačeno sa Ženevjev Pero, potvrdivši joj da će se videti na redovnom sastanku u petak uveče. I ja sam se spremila da se oprostim i pođem, ali mi Ženevjev Pero dade znak da ostanem.

Mišel Keruredan mi reče da me pozdravlja do našeg viđenja u petak, a možda i pre toga, u kafeu. Stezao je uza se svoju veliku kožnu torbu. Ženevjev ih je otpratila do ulaznih vrata. Ostadoh da stojim, sama, nasred sobe. Kada se vrata se zalupiše, Ženevjev Pero se ponovo stvori pored mene, loveći me svojim osmehom i zelenim očima.

– Opustite se, mala moja... Izgledate tako tužno... Dođite da legnete na onaj ležaj.

Nikada još nisam čula tako umirujuć glas. Opružila sam se na ležaju. Ona se smestila za pisaći sto.

– Prepustite se... sklopite oči...

Čula sam kako se otvara i zatvara jedna fioka. Zatim je prišla da ugasi sijalicu na polici sa knjigama. Sada, kada smo se našle u polumraku, sela je pored mene na kauč. Lagano mi je masirala čelo, obrve, kapke, slepoočnice. Uplašila sam se da ću zaspati i da ću joj, u snu, poveriti onaj san koji sam tako dugo čuvala za sebe: Rene, pas, izgubljena fotografija, klanica, topot konjskih kopita rano izjutra. A eto, našla sam se na ležaju u ulici Dombal broj 7. Nije to samo slučaj. Ako budem želela da saznam nešto više o njegovim svetlostima i senkama – kako ih je nazivao doktor Bod – moraću da ostanem u kraju još neko vreme...

Beleška o autoru

Patrik Modijano (Patrick Modiano) rođen je u Parizu 1945. godine. Jedan je od najvažnijih savremenih francuskih pisaca.

Njegovi najpoznatiji romani su *Mesto za zvezdu, Tužna vila, Porodična knjižica, Ulica mračnih dućana, Jedna mladost, Tako vrsni momci, Izgubljeni kraj, Skraćenje kazne, Svadbeno putovanje, Avgustovske nedelje, Dora Bruder, Te neznanke, Mala princeza, Horizont, Noćne trave* i *Da se ne izgubiš u kraju.*

Dobitnik je najznačajnijih nagrada među kojima su Dijamantsko pero, Velika nagrada za roman Francuske akademije, Nagrada knjižara i izdavača Francuske, Gonkurova nagrada, kao i Nobelova nagrada za književnost.

U Engleskoj je svojevremeno za najbolji film proglašen *Lisjen Lakomb* Luja Mala, za koji je Modijano napisao scenario.

Beleška o prevodiocu

Mirjana Uaknin (Ouaknine) profesorka je i književni prevodilac, rođena u Beogradu.

Prevela je sa francuskog jezika više književnih dela, a između ostalih, romane *Rodoslov, Dora Bruder, Te neznanke, Mala princeza* i *U kafeu izgubljene mladosti* Patrika Modijana, romane *Identitet* i *Neznanje* Milana Kundere, testamentarno delo *To je sve* Margerit Diras, dramu Patrika Besona *Sentimentalni razgovor* i veći broj priča savremenih francuskih autora.

Živi u Parizu.

Patrik Modijano
TE NEZNANKE

AKADEMSKA KNJIGA
Novi Sad, Pašićeva 6
Telefon: 021/4724-924
www.akademskaknjiga.com
e-mail: akademskaknjiga@neobee.net

Korektura
Slađana Milačić

Kompjuterski slog
Ljubomir Milačić

Štampa
Futura, Petrovaradin

ISBN 978-86-6263-072-8

CIP – Каталогизација у публикацији
Библиотека Матице српске, Нови Сад

821.133.1-31

МОДИЈАНО, Патрик
    Te neznanke / Patrik Modijano ; prevela s francuskog
Mirjana Uaknin. – Novi Sad : Akademska knjiga, 2014
(Petrovaradin : Futura). – 168 str. ; 21 cm. – (Biblioteka
Izabrana dela Patrika Modijana)

Prevod dela: Des inconnues / Patrick Modiano.
ISBN 978-86-6263-072-8
    I. Modiano, Patrick в. Модијано, Патрик
COBISS.SR–ID 291130887